Le Cid

© Éditions Belin/Éditions Gallimard, 2016 pour l'introduction, les notes et le dossier pédagogique.
170 bis, bd du Montparnasse 75014 Paris

ISBN 978-2-7011-9672-5
ISSN 2104-9610

Le Cid

PIERRE CORNEILLE

Dossier par Amandine Delbart
Agrégée de lettres classiques

BELIN ■ GALLIMARD

Sommaire

Le tour de l'œuvre en 10 fiches

Groupements de textes

Vers l'écrit du Bac

Fenêtres sur...

Des ouvrages à lire, des mises en scène et des films
à voir, une œuvre d'art à découvrir et des sites
Internet à consulter

Glossaire

Pour entrer dans l'œuvre

En 1637, Pierre Corneille est un jeune dramaturge déjà célèbre, notamment pour ses comédies. Il publie alors une pièce qui va durablement marquer l'histoire du théâtre: *Le Cid*. Son héros, Rodrigue, est une figure légendaire de l'Espagne médiévale, qui s'est illustrée pendant les guerres entre chrétiens et musulmans. Ce personnage a déjà inspiré de nombreux auteurs, tel le dramaturge espagnol Guillén de Castro, en 1618. Dans la pièce de Corneille, le héros, déchiré entre amour et honneur, doit venger son père en affrontant celui de la femme qu'il aime, Chimène.

Mais si Rodrigue appartient à d'autres temps, les mœurs qu'il incarne sont bien celles de la jeune génération des années 1630, assoiffée d'héroïsme. Comme lui, elle défend des valeurs anciennes, la bravoure guerrière et une fierté de caste. Comme lui, elle règle tout point d'honneur en des duels que désapprouve le pouvoir. La pièce triomphe donc: presque toute une génération «pour Chimène a les yeux de Rodrigue», pour citer un poète de l'époque, Nicolas Boileau.

Presque toute... Car cette pièce, qui séduit autant le public populaire que les nobles, divise. Son succès immense est le point de départ d'une violente controverse littéraire, «la querelle du *Cid*», qui nécessite l'arbitrage de la toute jeune Académie française, créée deux ans plus tôt.

En effet, à une époque où l'on entend réguler autant la société que la littérature françaises, et où l'on veut assagir une littérature baroque trop libre, en lui imposant les règles du classicisme, la pièce n'est pas assez sage et semble par trop irrégulière. Ni tout à fait tragi-comédie (elle se distingue des autres pièces du genre en privilégiant à la violence ouverte les conflits intérieurs), ni tout à fait tragédie (elle ne fait que s'approcher des règles naissantes du genre), elle ne se laisse pas aisément classer. En outre, elle va à l'encontre des valeurs élégantes et mondaines que l'on tâche de substituer aux valeurs héroïques et féodales de la noblesse: elle laisse en effet s'exprimer une passion transgressive, entre un meurtrier et la fille de sa victime, et un héroïsme d'un genre nouveau.

C'est cette originalité qui bouleverse le public et agace les doctes. Elle reste si profondément attachée au *Cid* que, même lorsque Corneille la réécrit en 1660 pour la rapprocher des tragédies classiques, la pièce demeure inclassable. C'est sans doute pour cela que cette œuvre a traversé les siècles, adaptée à l'opéra et au cinéma, et a donné à un personnage historique l'étoffe du mythe.

À *Madame de Combalet* [1]

Madame,

Ce portrait vivant que je vous offre représente un héros[2] assez reconnaissable aux lauriers[3] dont il est couvert. Sa vie a été une suite continuelle de victoires, son corps porté dans son armée a gagné des batailles après sa mort et son nom au bout de six cents
5   ans vient encore de triompher en France. Il y a trouvé une réception[4] trop favorable pour se repentir d'être sorti de son pays, et d'avoir appris à parler une autre langue que la sienne. Ce succès a passé[5] mes plus ambitieuses espérances, et m'a surpris d'abord, mais il a cessé de m'étonner depuis que j'ai vu la satisfaction que
10 vous avez témoignée quand il a paru devant vous ; alors j'ai osé me promettre de lui tout ce qui en est arrivé, et j'ai cru qu'après les éloges dont vous l'avez honoré, cet applaudissement universel ne lui pouvait manquer. Et véritablement, Madame, on ne peut douter avec

---

1. Madame de Combalet (1604-1675) : aristocrate française qui tenait un salon littéraire et défendit Corneille durant la querelle du *Cid*. C'est la nièce du cardinal de Richelieu (1585-1642), premier ministre du roi Louis XIII.

2. Un héros : le chevalier espagnol Rodrigo Díaz de Vivar (vers 1043-1099), dit El Cid Campeador. Cette figure en partie légendaire a inspiré la pièce *Las Mocedades del Cid* (« Les Enfances du Cid ») du dramaturge espagnol Guillén de Castro (1569-1631), dont s'est inspiré Corneille (voir fiche 9, p. 151).

3. Lauriers : emblèmes de la victoire, dans l'Antiquité.

4. Réception : accueil.

5. Passé : dépassé.

raison de ce que vaut une chose qui a le bonheur de vous plaire : le
jugement que vous en faites est la marque assurée de son prix[1] ; et
comme vous donnez toujours libéralement[2] aux véritables beautés
l'estime qu'elles méritent, les fausses n'ont jamais le pouvoir de
vous éblouir. Mais votre générosité[3] ne s'arrête pas à des louanges
stériles pour les ouvrages qui vous agréent[4], elle prend plaisir à
s'étendre utilement sur ceux qui les produisent, et ne dédaigne
point d'employer en leur faveur ce grand crédit[5] que votre qualité
et vos vertus vous ont acquis. J'en ai ressenti des effets qui me sont
trop avantageux pour m'en taire, et je ne vous dois pas moins de
remerciements pour moi que pour *Le Cid*. C'est une reconnaissance
qui m'est glorieuse puisqu'il m'est impossible de publier[6] que je
vous ai de grandes obligations, sans publier en même temps que
vous m'avez assez estimé pour vouloir que je vous en eusse. Aussi,
Madame, si je souhaite quelque durée pour cet heureux effort de
ma plume, ce n'est point pour apprendre mon nom à la postérité,
mais seulement pour laisser des marques éternelles de ce que je
vous dois, et faire lire à ceux qui naîtront dans les autres siècles la
protestation[7] que je fais d'être toute ma vie,

MADAME,

Votre très humble, très obéissant
et très obligé serviteur,
CORNEILLE.

---

1. **Prix** : valeur.
2. **Libéralement** : généreusement.
3. **Générosité** : au XVIIᵉ siècle, qualité centrale de toute personne née dans une famille noble, qui la détermine à rechercher honneur, gloire et grandeur.
4. **Agréent** : plaisent.
5. **Crédit** : influence.
6. **Publier** : rendre public, faire savoir.
7. **Protestation** : déclaration formelle.

Personnages

DON[1] FERNAND, *premier Roi de Castille*[2].

DOÑA URRAQUE, *Infante*[3] *de Castille.*

DON DIÈGUE, *père de don Rodrigue.*

DON GOMÈS, *Comte de Gormas, père de Chimène.*

DON RODRIGUE, *fils de don Diègue et amant*[4] *de Chimène.*

DON SANCHE, *amoureux*[5] *de Chimène.*

DON ARIAS,
⎫ *gentilshommes castillans.*
DON ALONSE,

CHIMÈNE, *maîtresse*[6] *de don Rodrigue et de don Sanche.*

LÉONOR, *gouvernante de l'Infante.*

ELVIRE, *suivante de Chimène.*

UN PAGE DE L'INFANTE.

La scène est à Séville.

---

1. **Don** (au féminin, doña) : titre donné aux nobles espagnols.
2. **Castille** : au XIe siècle, royaume chrétien situé au centre de l'Espagne.
3. **Infante** : fille du roi.
4. **Amant** : qui aime et est aimé en retour, au XVIIe siècle.
5. **Amoureux** : qui aime sans être aimé en retour, au XVIIe siècle.
6. **Maîtresse** : objet de l'amour.

ACTE I

Scène 1

LE COMTE, ELVIRE

ELVIRE

Entre tous ces amants dont la jeune ferveur[1]
Adore votre fille, et brigue ma faveur[2],
Don Rodrigue et Don Sanche à l'envi[3] font paraître
Le beau feu[4] qu'en leurs cœurs ses beautés ont fait naître,
5   Ce n'est pas que Chimène écoute leurs soupirs,
Ou d'un regard propice anime leurs désirs,
Au contraire pour tous dedans[5] l'indifférence
Elle n'ôte à pas un, ni donne d'espérance,
Et sans les voir d'un œil trop sévère, ou trop doux,
10 C'est de votre seul choix qu'elle attend un époux.

LE COMTE

Elle est dans le devoir, tous deux sont dignes d'elle,
Tous deux formés d'un sang[6] noble, vaillant, fidèle,

---

1. **Ferveur**: amour passionné.
2. **Brigue ma faveur**: recherche mon soutien.
3. **À l'envi**: en rivalisant.
4. **Feu**: amour.
5. **Dedans**: en se tenant dans.
6. **Sang**: famille.

Jeunes, mais qui font lire aisément dans leurs yeux
L'éclatante vertu[1] de leurs braves aïeux.
15 Don Rodrigue surtout n'a trait en son visage
Qui d'un homme de cœur[2] ne soit la haute image,
Et sort d'une maison[3] si féconde en guerriers
Qu'ils y prennent naissance au milieu des lauriers[4].
La valeur de son père, en son temps sans pareille,
20 Tant qu'a duré sa force a passé pour merveille,
Ses rides sur son front ont gravé ses exploits,
Et nous disent encor[5] ce qu'il fut autrefois :
Je me promets du fils ce que j'ai vu du père,
Et ma fille en un mot peut l'aimer et me plaire.
25 Va l'en entretenir[6], mais dans cet entretien,
Cache mon sentiment et découvre le sien,
Je veux qu'à mon retour nous en parlions ensemble ;
L'heure à présent m'appelle au conseil[7] qui s'assemble,
Le Roi doit à son fils choisir un Gouverneur[8],
30 Ou plutôt m'élever à ce haut rang d'honneur,
Ce que pour lui mon bras chaque jour exécute
Me défend de penser qu'aucun me le dispute[9].

1. **Vertu** : valeur physique et morale.
2. **Homme de cœur** : homme d'honneur. Le mot « cœur » a deux sens figurés au XVIIe siècle : il symbolise la passion et l'amour, mais aussi le courage et la grandeur.
3. **Maison** : lignée, famille.
4. **Lauriers** : emblèmes de la victoire, dans l'Antiquité.
5. **Encor** : encore (licence poétique pour conserver le nombre de syllabes de l'alexandrin).
6. **L'en entretenir** : lui en parler.
7. **Conseil** : assemblée du roi.
8. **Gouverneur** : précepteur chargé d'assurer la formation, notamment militaire, du futur monarque.
9. **Dispute** : conteste.

Scène 2

CHIMÈNE, ELVIRE

ELVIRE, *seule.*

Quelle douce nouvelle à ces jeunes amants !
Et que tout se dispose à leurs contentements[1] !

CHIMÈNE

35   Eh bien, Elvire, enfin, que faut-il que j'espère ?
Que dois-je devenir, et que t'a dit mon père ?

ELVIRE

Deux mots dont tous vos sens doivent être charmés[2],
Il estime Rodrigue autant que vous l'aimez.

CHIMÈNE

L'excès de ce bonheur me met en défiance[3],
40   Puis-je à de tels discours donner quelque croyance ?

ELVIRE

Il passe bien plus outre[4], il approuve ses feux,
Et vous doit commander de répondre à ses vœux[5].
Jugez après cela puisque tantôt[6] son père
Au sortir du Conseil doit proposer l'affaire[7],
45   S'il pouvait avoir lieu de mieux prendre son temps[8],
Et si tous vos désirs seront bientôt contents[9].

---

1. **Leurs contentements** : la réalisation de leurs souhaits, leur bonheur.
2. **Charmés** : ici, ravis.
3. **Met en défiance** : fait douter.
4. **Passe bien plus outre** : va bien plus loin.
5. **Ses vœux** : son amour.
6. **Tantôt** : tout à l'heure.
7. **Affaire** : mariage.
8. **Prendre son temps** : saisir l'occasion favorable.
9. **Contents** : satisfaits, comblés.

CHIMÈNE

Il semble toutefois que mon âme troublée
Refuse cette joie, et s'en trouve accablée,
Un moment donne au sort des visages divers,
50 Et dans ce grand bonheur je crains un grand revers[1].

ELVIRE

Vous verrez votre crainte heureusement déçue[2].

CHIMÈNE

Allons, quoi qu'il en soit, en attendre l'issue.

Scène 3

L'INFANTE, LÉONOR, LE PAGE

L'INFANTE, *au Page.*

Va-t'en trouver Chimène, et lui dis de ma part
Qu'aujourd'hui pour me voir elle attend un peu tard,
55 Et que mon amitié se plaint de sa paresse[3].

Le Page rentre[4].

LÉONOR

Madame, chaque jour même désir vous presse[5],
Et je vous vois pensive et triste chaque jour
L'informer avec soin comme[6] va son amour.

---

1. **Revers**: retournement de situation.
2. **Déçue**: trompée.
3. **Paresse**: manque d'empressement.
4. **Rentre**: rentre en coulisse, donc quitte la scène.
5. **Presse**: obsède.
6. **L'informer**: lui demander; **comme**: comment.

L'Infante

J'en dois bien avoir soin, je l'ai presque forcée
60   À recevoir les coups dont son âme est blessée,
Elle aime Don Rodrigue et le tient de ma main,
Et par moi Don Rodrigue a vaincu son dédain[1],
Ainsi de ces amants ayant formé les chaînes[2],
Je dois prendre intérêt à la fin de leurs peines.

Léonor

65   Madame, toutefois parmi leurs bons succès,
On vous voit un chagrin qui va jusqu'à l'excès.
Cet amour qui tous deux les comble d'allégresse[3]
Fait-il de ce grand cœur la profonde tristesse ?
Et ce grand intérêt que vous prenez pour eux
70   Vous rend-il malheureuse alors qu'ils sont heureux ?
Mais je vais trop avant[4], et deviens indiscrète.

L'Infante

Ma tristesse redouble à la tenir[5] secrète.
Écoute, écoute enfin comme j'ai combattu,
Et plaignant ma faiblesse admire ma vertu.
75   L'amour est un tyran qui n'épargne personne,
Ce jeune Chevalier, cet amant que je donne,
Je l'aime.

Léonor

        Vous l'aimez !

---

1. **Dédain** : ici, indifférence.
2. **Chaînes** : liens amoureux.
3. **Allégresse** : joie intense.
4. **Trop avant** : trop loin.
5. **À la tenir** : parce que je la tiens.

L'Infante

Mets la main sur mon cœur,
Et vois comme il se trouble au nom de son vainqueur,
Comme il le reconnaît.

Léonor

Pardonnez-moi, Madame,
80   Si je sors du respect pour blâmer[1] cette flamme.
Choisir pour votre amant un simple Chevalier !
Une grande Princesse à ce point s'oublier[2] !
Et que dira le Roi ? que dira la Castille ?
Vous souvenez-vous bien de qui vous êtes fille !

L'Infante

85   Oui, oui, je m'en souviens, et j'épandrai[3] mon sang
Plutôt que de rien faire indigne de mon rang[4].
Je te répondrais bien que dans les belles âmes
Le seul mérite a droit de produire des flammes,
Et si ma passion cherchait à s'excuser,
90   Mille exemples fameux pourraient l'autoriser.
Mais je n'en veux point suivre où ma gloire s'engage[5],
Si j'ai beaucoup d'amour, j'ai bien plus de courage,
Un noble orgueil m'apprend qu'étant fille de Roi
Tout autre qu'un Monarque est indigne de moi.
95   Quand je vis que mon cœur ne se pouvait défendre,
Moi-même je donnai ce que je n'osais prendre,

---

1. **Blâmer** : critiquer.
2. **S'oublier** : oublier son rang et son honneur.
3. **Épandrai** : répandrai.
4. **De rien faire indigne de mon rang** : de faire quoi que ce soit d'indigne de mon rang.
5. **Où ma gloire s'engage** : là où il en va de mon honneur. Dans les tragédies du XVIIe siècle, la «gloire» désigne le sens de l'honneur, les devoirs que chacun doit accomplir pour maintenir sa réputation et son rang. C'est une valeur essentielle qui guide tous les actes des personnages.

Je mis au lieu de moi Chimène en ses liens,
Et j'allumai leurs feux pour éteindre les miens.
Ne t'étonne donc plus si mon âme gênée[1]
100 Avec impatience attend leur hyménée[2],
Tu vois que mon repos[3] en dépend aujourd'hui :
Si l'amour vit d'espoir, il meurt avecque[4] lui,
C'est un feu qui s'éteint faute de nourriture,
Et malgré la rigueur de ma triste[5] aventure
105 Si Chimène a jamais Rodrigue pour mari
Mon espérance est morte, et mon esprit guéri.
Je souffre cependant un tourment incroyable,
Jusques à[6] cet hymen Rodrigue m'est aimable,
Je travaille à le perdre, et le perds à regret,
110 Et de là prend son cours mon déplaisir[7] secret.
Je suis au désespoir que l'amour me contraigne
À pousser des soupirs pour ce que je dédaigne,
Je sens en deux partis[8] mon esprit divisé,
Si mon courage est haut, mon cœur est embrasé :
115 Cet hymen m'est fatal[9], je le crains, et souhaite,
Je ne m'en promets rien qu'une joie imparfaite,
Ma gloire et mon amour ont tous deux tant d'appas[10]
Que je meurs s'il s'achève, et ne s'achève pas.

LÉONOR

Madame, après cela je n'ai rien à vous dire,
120 Sinon que de vos maux avec vous je soupire :

---

1. **Gênée** : torturée.
2. **Hyménée** : mariage.
3. **Repos** : tranquillité, apaisement.
4. **Avecque** : avec (licence poétique pour conserver le nombre de syllabes de l'alexandrin).
5. **Rigueur** : cruauté ; **triste** : funeste, terrible.
6. **Jusques à** : jusqu'à (licence poétique).
7. **Prend son cours** : se développe ; **déplaisir** : chagrin profond.
8. **En deux partis** : entre deux choix.
9. **Fatal** : mortel.
10. **Appas** : attraits, qualités qui rendent attirants.

Je vous blâmais tantôt, je vous plains à présent.
Mais puisque dans un mal si doux et si cuisant
Votre vertu combat et son charme[1] et sa force,
En repousse l'assaut, en rejette l'amorce[2],
125 Elle rendra le calme à vos esprits flottants[3].
Espérez donc tout d'elle, et du secours du temps,
Espérez tout du Ciel, il a trop de justice
Pour souffrir la vertu si longtemps au supplice.

L'INFANTE

Ma plus douce espérance est de perdre l'espoir.

LE PAGE

130 Par vos commandements Chimène vous vient voir.

L'INFANTE

Allez l'entretenir en cette galerie.

LÉONOR

Voulez-vous demeurer dedans la rêverie[4] ?

L'INFANTE

Non, je veux seulement, malgré mon déplaisir,
Remettre mon visage un peu plus à loisir[5].
135 Je vous suis. Juste Ciel, d'où j'attends mon remède,
Mets enfin quelque borne au mal qui me possède,
Assure[6] mon repos, assure mon honneur,
Dans le bonheur d'autrui je cherche mon bonheur,

---

1. **Charme** : pouvoir magique, envoûtement.
2. **Amorce** : séduction.
3. **Flottants** : hésitants, perdus.
4. **Rêverie** : songe mélancolique.
5. **À loisir** : ici, présentable.
6. **Assure** : mets hors de danger.

Cet hyménée à trois également importe,
140 Rends son effet plus prompt[1], ou mon âme plus forte,
D'un lien conjugal joindre ces deux amants,
C'est briser tous mes fers[2] et finir mes tourments.
Mais je tarde un peu trop, allons trouver Chimène,
Et par son entretien soulager notre peine.

❧

Scène 4

LE COMTE, DON DIÈGUE

LE COMTE

145 Enfin vous l'emportez, et la faveur du Roi
Vous élève en un rang qui n'était dû qu'à moi,
Il vous fait Gouverneur du Prince de Castille.

DON DIÈGUE

Cette marque d'honneur qu'il met dans ma famille
Montre à tous qu'il est juste, et fait connaître assez
150 Qu'il sait récompenser les services passés.

LE COMTE

Pour grands que soient les Rois, ils sont ce que nous sommes,
Ils peuvent se tromper comme les autres hommes,
Et ce choix sert de preuve à tous les Courtisans[3]
Qu'ils savent mal payer[4] les services présents.

---

1. **Effet**: ici, réalisation; **prompt**: rapide.
2. **Fers**: liens amoureux.
3. **Courtisans**: gentilshommes qui fréquentent la cour.
4. **Payer**: récompenser.

Don Diègue

155 Ne parlons plus d'un choix dont votre esprit s'irrite,
La faveur l'a pu faire autant que le mérite ;
Vous choisissant peut-être on eût pu mieux choisir,
Mais le Roi m'a trouvé plus propre à son désir.
À l'honneur qu'il m'a fait ajoutez-en un autre,
160 Joignons d'un sacré nœud[1] ma maison à la vôtre,
Rodrigue aime Chimène, et ce digne sujet
De ses affections est le plus cher objet :
Consentez-y, Monsieur, et l'acceptez pour gendre.

Le Comte

À de plus hauts partis Rodrigue doit prétendre[2],
165 Et le nouvel éclat de votre dignité
Lui doit bien mettre au cœur une autre vanité[3].
Exercez-la, Monsieur, et gouvernez le Prince,
Montrez-lui comme il faut régir une Province[4],
Faire trembler partout les peuples sous sa loi,
170 Remplir les bons d'amour, et les méchants d'effroi :
Joignez à ces vertus celles d'un Capitaine[5],
Montrez-lui comme il faut s'endurcir à la peine,
Dans le métier de Mars[6] se rendre sans égal,
Passer les jours entiers et les nuits à cheval,
175 Reposer tout armé, forcer une muraille,
Et ne devoir qu'à soi le gain d'une bataille.
Instruisez-le d'exemple, et vous ressouvenez[7]
Qu'il faut faire à ses yeux ce que vous enseignez.

---

1. **Sacré nœud** : lien sacré du mariage.
2. **Partis** : ici, mariages ; **prétendre** : aspirer.
3. **Vanité** : prétention.
4. **Régir** : gouverner ; **province** : partie d'un royaume.
5. **Capitaine** : grand général, grand guerrier.
6. **Le métier de Mars** : la guerre (Mars est le dieu de la guerre dans la mythologie romaine).
7. **D'exemple** : par l'exemple ; **vous ressouvenez** : rappelez-vous.

Don Dièque

Pour s'instruire d'exemple, en dépit de l'envie[1],
180 Il lira seulement l'histoire de ma vie :
Là dans un long tissu de belles actions
Il verra comme il faut dompter des nations,
Attaquer une place[2], ordonner une armée,
Et sur de grands exploits bâtir sa renommée.

Le Comte

185 Les exemples vivants ont bien plus de pouvoir,
Un Prince dans un livre apprend mal son devoir ;
Et qu'a fait après tout ce grand nombre d'années
Que ne puisse égaler une de mes journées[3] ?
Si vous fûtes vaillant, je le suis aujourd'hui,
190 Et ce bras du Royaume est le plus ferme appui ;
Grenade et l'Aragon tremblent quand ce fer[4] brille,
Mon nom sert de rempart à toute la Castille,
Sans moi vous passeriez bientôt sous d'autres lois,
Et si vous ne m'aviez, vous n'auriez plus de Rois.
195 Chaque jour, chaque instant, entasse pour ma gloire
Laurier dessus laurier, victoire sur victoire :
Le Prince, pour essai de générosité[5],
Gagnerait des combats marchant à mon côté,
Loin des froides leçons qu'à mon bras on préfère,
200 Il apprendrait à vaincre en me regardant faire.

---

1. **En dépit de l'envie** : quoi qu'en pensent les jaloux.
2. **Place** : ville fortifiée.
3. **Journées** : jours de bataille.
4. **Grenade** : capitale du royaume musulman d'Andalousie ; **Aragon** : royaume chrétien indépendant ; **fer** : épée.
5. **Pour essai de générosité** : pour mettre à l'épreuve la valeur guerrière que lui a donnée sa naissance.

DON DIÈGUE

Vous me parlez en vain de ce que je connoi[1],
Je vous ai vu combattre et commander sous moi[2] :
Quand l'âge dans mes nerfs a fait couler sa glace
Votre rare[3] valeur a bien rempli ma place,
205   Enfin pour épargner les discours superflus
Vous êtes aujourd'hui ce qu'autrefois je fus.
Vous voyez toutefois qu'en cette concurrence
Un Monarque entre nous met de la différence.

LE COMTE

Ce que je méritais, vous l'avez emporté.

DON DIÈGUE

210   Qui l'a gagné sur vous, l'avait mieux mérité.

LE COMTE

Qui peut mieux l'exercer, en est bien le plus digne.

DON DIÈGUE

En être refusé n'en est pas un bon signe.

LE COMTE

Vous l'avez eu par brigue étant vieux Courtisan[4].

DON DIÈGUE

L'éclat de mes hauts faits[5] fut mon seul partisan.

---

1. **Connoi** : connais.
2. **Sous moi** : sous mon commandement.
3. **Rare** : précieuse, exceptionnelle.
4. **Brigue** : intrigue, manœuvres déloyales ; **vieux Courtisan** : gentilhomme rusé qui obtient les faveurs des nobles et du roi par la flatterie.
5. **Hauts faits** : exploits.

LE COMTE

215 Parlons-en mieux, le Roi fait honneur à votre âge.

DON DIÈGUE

Le Roi, quand il en fait, le mesure au courage.

LE COMTE

Et par là cet honneur n'était dû qu'à mon bras.

DON DIÈGUE

Qui n'a pu l'obtenir, ne le méritait pas.

LE COMTE

Ne le méritait pas ! moi ?

DON DIÈGUE

Vous.

LE COMTE

Ton impudence[1],
220 Téméraire[2] vieillard, aura sa récompense.

Il lui donne un soufflet[3].

DON DIÈGUE

Achève, et prends ma vie après un tel affront,
Le premier dont ma race ait vu rougir son front.

Ils mettent l'épée à la main.

---

1. **Impudence** : insolence.
2. **Téméraire** : trop audacieux, qui commet un acte osé.
3. **Soufflet** : gifle.

LE COMTE

Et que penses-tu faire avec tant de faiblesse?

DON DIÈGUE

Ô Dieu! ma force usée à ce besoin me laisse[1].

LE COMTE

225 Ton épée est à moi, mais tu serais trop vain[2]
Si ce honteux trophée avait chargé ma main.
Adieu, fais lire au Prince, en dépit de l'envie,
Pour son instruction l'histoire de ta vie,
D'un insolent discours ce juste châtiment
230 Ne lui servira pas d'un petit ornement.

DON DIÈGUE

Épargnes-tu mon sang?

LE COMTE

Mon âme est satisfaite,
Et mes yeux à ma main reprochent ta défaite.

DON DIÈGUE

Tu dédaignes ma vie!

LE COMTE

En arrêter le cours
Ne serait que hâter la Parque[3] de trois jours.

---

1. **À ce besoin me laisse**: m'abandonne dans ce moment où j'aurais besoin d'elle.
2. **Vain**: plein d'orgueil.
3. **Parque**: divinité romaine qui tient entre ses mains le fil de la vie humaine et la coupe au moment de la mort. Cette pointe moqueuse du Comte suggère que la mort guette le vieux Don Diègue.

Scène 5

Don Diègue, *seul.*

235 Ô rage, ô désespoir ! ô vieillesse ennemie !
N'ai-je donc tant vécu que pour cette infamie[1] ?
Et ne suis-je blanchi[2] dans les travaux guerriers
Que pour voir en un jour flétrir tant de lauriers ?
Mon bras qu'avec respect toute l'Espagne admire,
240 Mon bras qui tant de fois a sauvé cet Empire,
Tant de fois affermi le Trône de son Roi,
Trahit donc ma querelle[3], et ne fait rien pour moi ?
Ô cruel souvenir de ma gloire passée !
Œuvre de tant de jours en un jour effacée !
245 Nouvelle dignité[4] fatale à mon bonheur,
Précipice élevé d'où tombe mon honneur,
Faut-il de votre éclat voir triompher le Comte,
Et mourir sans vengeance, ou vivre dans la honte ?
Comte, sois de mon Prince à présent Gouverneur,
250 Ce haut rang n'admet point un homme sans honneur,
Et ton jaloux orgueil par cet affront insigne[5]
Malgré le choix du Roi m'en a su rendre indigne.
Et toi de mes exploits glorieux instrument[6],
Mais d'un corps tout de glace inutile ornement,
255 Fer, jadis tant à craindre, et qui dans cette offense
M'as servi de parade[7], et non pas de défense,
Va, quitte désormais le dernier des humains,
Passe pour me venger en de meilleures mains ;

---

1. **Infamie** : déshonneur absolu, honte complète.
2. **Ne suis-je blanchi** : n'ai-je vieilli.
3. **Querelle** : cause.
4. **Dignité** : nomination au poste de gouverneur du prince.
5. **Insigne** : exceptionnel.
6. Don Diègue s'adresse à son épée.
7. **Parade** : parure.

Si Rodrigue est mon fils, il faut que l'amour cède,
260   Et qu'une ardeur[1] plus haute à ses flammes succède,
Mon honneur est le sien, et le mortel affront
Qui tombe sur mon chef[2] rejaillit sur son front.

Scène 6

DON DIÈGUE, DON RODRIGUE

DON DIÈGUE

Rodrigue, as-tu du cœur[3]?

DON RODRIGUE

Tout autre que mon père
L'éprouverait sur l'heure[4].

DON DIÈGUE

Agréable colère,
265   Digne ressentiment[5] à ma douleur bien doux!
Je reconnais mon sang à ce noble courroux[6],
Ma jeunesse revit en cette ardeur si prompte,
Viens mon fils, viens mon sang, viens réparer ma honte,
Viens me venger.

---

1. Ardeur: passion; ici, sens de l'honneur, que Don Diègue oppose à la passion amoureuse désignée par les «flammes».
2. Chef: tête.
3. Cœur: ici, courage, sens de l'honneur.
4. L'éprouverait sur l'heure: pourrait le vérifier dès maintenant. Rodrigue sous-entend que cette question offensante remet en cause son courage, et qu'il devrait défier Don Diègue en duel s'il ne s'agissait pas de son père.
5. Ressentiment: colère, envie de vengeance.
6. Courroux: colère.

DON RODRIGUE

De quoi ?

DON DIÈGUE

D'un affront si cruel

270 Qu'à l'honneur de tous deux il porte un coup mortel,
D'un soufflet. L'insolent en eût perdu la vie,
Mais mon âge a trompé ma généreuse envie[1],
Et ce fer que mon bras ne peut plus soutenir,
Je le remets au tien pour venger et punir.
275 Va contre un arrogant éprouver[2] ton courage ;
Ce n'est que dans le sang qu'on lave un tel outrage,
Meurs, ou tue. Au surplus, pour ne te point flatter[3],
Je te donne à combattre un homme à redouter,
Je l'ai vu tout sanglant au milieu des batailles
280 Se faire un beau rempart de mille funérailles.

DON RODRIGUE

Son nom, c'est perdre temps en propos superflus.

DON DIÈGUE

Donc, pour te dire encor quelque chose de plus,
Plus que brave soldat, plus que grand Capitaine,
C'est…

DON RODRIGUE

De grâce achevez.

DON DIÈGUE

Le père de Chimène.

---

1. Généreuse envie : élan qui témoigne d'une naissance noble par sa vaillance et son sens de l'honneur.
2. Éprouver : ici, mettre à l'épreuve.
3. Flatter : tromper, mentir.

DON RODRIGUE

285   Le…

DON DIÈGUE

Ne réplique point, je connais ton amour,
Mais qui peut vivre infâme[1] est indigne du jour,
Plus l'offenseur est cher[2], et plus grande est l'offense :
Enfin tu sais l'affront, et tu tiens la vengeance,
Je ne te dis plus rien, venge-moi, venge-toi,
290   Montre-toi digne fils d'un tel père que moi ;
Accablé des malheurs où le destin me range[3]
Je m'en vais les pleurer. Va, cours, vole, et nous venge.

❧

Scène 7

DON RODRIGUE, *seul.*

Percé jusques au fond du cœur
D'une atteinte[4] imprévue aussi bien que mortelle,
295   Misérable[5] vengeur d'une juste querelle,
Et malheureux objet d'une injuste rigueur,
Je demeure immobile, et mon âme abattue
Cède au coup qui me tue.
Si près de voir mon feu récompensé,
300   Ô Dieu ! l'étrange[6] peine !
En cet affront mon père est l'offensé,
Et l'offenseur le père de Chimène.

---

1. **Infâme** : humilié, sans honneur.
2. **Cher** : ayant de la valeur.
3. **Range** : plonge.
4. **Atteinte** : blessure.
5. **Misérable** : malheureux.
6. **Étrange** : extrême, inouïe.

Que je sens de rudes combats !
Contre mon propre honneur mon amour s'intéresse[1],
305 Il faut venger un père, et perdre une maîtresse,
L'un échauffe mon cœur, l'autre retient mon bras,
Réduit au triste choix ou de trahir ma flamme,
Ou de vivre en infâme,
Des deux côtés mon mal est infini.
310 Ô Dieu ! l'étrange peine !
Faut-il laisser un affront impuni ?
Faut-il punir le père de Chimène ?

Père, maîtresse, honneur, amour,
Illustre tyrannie, adorable contrainte,
315 Par qui de ma raison[2] la lumière est éteinte,
À mon aveuglement rendez un peu de jour[3].
Cher et cruel espoir d'une âme généreuse
Mais ensemble[4] amoureuse,
Noble ennemi de mon plus grand bonheur
320 Qui fais toute ma peine,
M'es-tu donné pour venger mon honneur ?
M'es-tu donné pour perdre ma Chimène ?

Il vaut mieux courir au trépas ;
Je dois à[5] ma maîtresse aussi bien qu'à mon père,
325 Qui venge cet affront irrite sa colère,
Et qui peut le souffrir[6], ne la mérite pas.
Prévenons la douleur d'avoir failli[7] contre elle,
Qui nous serait mortelle.

---

1. **S'intéresse** : prend parti.
2. **Raison** : esprit.
3. **Jour** : lumière.
4. **Ensemble** : en même temps.
5. **Je dois à** : j'ai des devoirs envers.
6. **Souffrir** : accepter, tolérer.
7. **Prévenons** : essayons d'éviter ; **failli** : commis une faute.

Tout m'est fatal, rien ne me peut guérir,

330   Ni soulager ma peine,

Allons, mon âme, et puisqu'il faut mourir,

Mourons du moins sans offenser Chimène.

         Mourir sans tirer ma raison[1] !

Rechercher un trépas si mortel à ma gloire !

335   Endurer que l'Espagne impute à ma mémoire[2]

D'avoir mal soutenu[3] l'honneur de ma maison !

Respecter un amour dont mon âme égarée

         Voit la perte assurée !

N'écoutons plus ce penser suborneur[4]

340   Qui ne sert qu'à ma peine,

Allons, mon bras, du moins sauvons l'honneur,

Puisque aussi bien il faut perdre Chimène.

         Oui, mon esprit s'était déçu[5],

Dois-je pas à mon père avant qu'à ma maîtresse ?

345   Que je meure au combat, ou meure de tristesse,

Je rendrai mon sang pur comme je l'ai reçu.

Je m'accuse déjà de trop de négligence,

         Courons à la vengeance,

Et tout honteux d'avoir tant balancé[6],

350   Ne soyons plus en peine

(Puisque aujourd'hui mon père est l'offensé)

Si l'offenseur est père de Chimène.

---

1. **Tirer ma raison** : obtenir réparation.
2. **Impute à ma mémoire** : me reproche après ma mort.
3. **Soutenu** : défendu.
4. **Ce penser suborneur** : cette pensée trompeuse, qui détourne du droit chemin.
5. **Déçu** : ici, égaré.
6. **Balancé** : hésité.

Arrêt
sur lecture 1

Pour comprendre l'essentiel

L'exposition mouvementée d'une tragi-comédie

1 Les trois premières scènes introduisent l'intrigue de la pièce.
En parcourant le texte des vers 1 à 144, analysez les relations entre
les différents personnages et les buts qu'ils poursuivent, puis indiquez
quel personnage principal n'est pas encore entré en scène.

2 La tragi-comédie mêle une intrigue relevant de la comédie (l'amour
menacé de deux jeunes gens, qui finissent par se marier) à des éléments
tragiques. Précisez en quoi les premières scènes se rapprochent
de la comédie, puis étudiez l'apparition progressive du registre tragique.

3 Le début de la pièce présente les personnages essentiels à l'intrigue de
manière dynamique. En examinant les changements de lieu et les multiples
rebondissements, expliquez comment Corneille imprime du mouvement
au premier acte.

Des combats d'honneur

4 L'honneur est la valeur phare des héros cornéliens. Analysez dans
ce sens l'éloge que fait le Comte de Rodrigue (v. 15-24), puis étudiez
la façon dont l'amour cède la place à l'honneur au fil de l'acte.

5 Dans la scène 4 de l'acte I, Corneille présente un combat qui tourne court au lieu d'un duel véritable. En vous appuyant sur le rythme des répliques et la progression du dialogue, montrez que le dramaturge donne à l'affrontement verbal des pères la violence d'un vrai combat.

6 Le père de Rodrigue prononce un monologue pathétique, constitué d'une série d'apostrophes (v. 235-260). Précisez à qui ou à quoi il s'adresse successivement, et quelle conception de l'honneur se dégage de son discours.

Des combats intérieurs

7 Le premier personnage déchiré entre amour et honneur est l'Infante. Montrez qu'elle éprouve un véritable tourment intérieur, en analysant la métaphore filée du combat dans la scène 3 de l'acte I.

8 Forcé de se battre avec le père de Chimène, Rodrigue est en proie, à son tour, à un combat intérieur. Dans ses stances (acte I, scène 7), relevez toutes les figures d'opposition (chiasmes, oxymores, antithèses, parallélismes) et expliquez en quoi elles contribuent à faire de Rodrigue un héros pathétique.

9 Chez l'Infante comme chez Rodrigue, la raison prend le pas sur le cœur. Montrez comment, malgré son caractère lyrique, le monologue de Rodrigue (acte I, scène 7) constitue un argumentaire rigoureux.

✔ Rappelez-vous !

• L'**exposition** d'une pièce de théâtre fournit les informations permettant de comprendre l'intrigue et donne le ton de la pièce. Celle du *Cid* est propre au genre de la tragi-comédie. Les lieux et les rebondissements se multiplient et l'action bascule d'un **contexte de comédie**, où un mariage heureux s'annonce, à une **atmosphère tragique**, où s'affrontent passion et devoir.

• Dès l'acte I, plusieurs personnages de la pièce sont face à un **dilemme**, un conflit déchirant entre deux choix conduisant chacun à un **sacrifice**. Ainsi, l'Infante est écartelée entre son amour pour Rodrigue et son rang de princesse, et Rodrigue entre sa passion pour Chimène et la défense de l'honneur familial.

Vers l'oral du Bac

Analyse de la scène 6 de l'acte I, v. 263-292, p. 26-28

> → *Montrer quel modèle héroïque*
> *Rodrigue va devoir suivre*

🎤 *Conseils pour la lecture à voix haute*

– Veillez à respecter la diction de l'alexandrin : chaque vers doit comporter douze syllabes. Pour cela, repérez les diérèses (groupes de deux voyelles prononcées en deux syllabes), et suivez la règle du -e sonore : il est prononcé devant une consonne (« tout autre que », v. 263) ou au pluriel.
– Enchaînez rapidement les répliques de Rodrigue et de son père : il faut marquer la vivacité du dialogue.

📝 *Analyse du texte*

■ *Introduction rédigée*

Insérée entre deux monologues pathétiques, la scène 6 de l'acte I est la première de la pièce où apparaît Rodrigue. Les portraits dressés de lui par les autres personnages l'ont présenté comme un jeune héros, promis à une gloire égale à celle de son père. Or, pour se venger de l'insulte qu'il vient de subir, Don Diègue demande à son fils de tuer le Comte, redoutable guerrier. Le conflit entre les pères, qui fait basculer l'action dans le tragique, oblige Rodrigue à prouver son sens du devoir. On peut donc se demander quel est le modèle héroïque que le jeune homme est tenu de suivre. Dans un premier temps, nous verrons que Rodrigue est appelé à égaler et même à remplacer son père, puis nous étudierons le devoir de vengeance qui s'impose à lui. Enfin, nous examinerons comment ce modèle héroïque le pousse à renoncer à l'amour, au prix d'une profonde souffrance intérieure.

■ *Analyse guidée*

I. Un héros à la mesure de son père

a. Dans cette scène, Rodrigue apparaît pour la première fois. Expliquez comment ses répliques illustrent sa valeur guerrière et sa jeunesse.

b. Don Diègue se réjouit de l'ardeur du jeune homme, en qui il voit un autre lui-même. Montrez qu'il insiste sur les liens qui l'unissent à son fils, en analysant les pronoms employés et les parallélismes.

c. Rodrigue doit prendre le relais de Don Diègue, trop âgé pour défendre son honneur. Étudiez l'opposition entre la jeunesse du fils et la faiblesse du père dans les paroles de Don Diègue, puis imaginez quel jeu de scène peut donner à voir la passation de pouvoir entre les deux hommes.

II. Un héros appelé à la vengeance

a. Don Diègue impose à Rodrigue la mission de le venger. Étudiez le caractère impérieux de ses paroles, en identifiant le mode verbal employé et les mots qu'il répète du début à la fin de la scène.

b. Pour mieux convaincre son fils, Don Diègue insiste sur l'humiliation infligée par le Comte. Repérez toutes les figures de style employées pour souligner l'infamie qu'il a subie.

c. Le duel contre le Comte est à la fois une vengeance et une occasion de s'illustrer. Examinez comment l'éloge du Comte par Don Diègue exalte l'honneur guerrier que doit défendre le jeune homme.

III. Un héros devant qui l'amour doit céder

a. Don Diègue avoue difficilement à Rodrigue que son adversaire est le père de la femme qu'il aime. Relevez les périphrases qui désignent le Comte, puis montrez comment la révélation de son identité est mise en valeur.

b. Le vieil homme impose à son fils d'oublier son amour pour mener à bien sa vengeance. Dans les vers 285 à 292, identifiez ses arguments et montrez comment il réduit son fils au silence par le poids de sa démonstration.

c. Lorsqu'il apprend le nom de l'offenseur, le jeune homme réagit. Expliquez les émotions de Rodrigue en comparant le vers 285 à ses répliques précédentes, puis interprétez son silence final.

■ *Conclusion rédigée*

Après l'exposition, qui laissait espérer en un amour heureux, cette scène marque le basculement de l'action dans le tragique : l'honneur prend le dessus sur la passion. Réduit au silence par l'argumentaire rigoureux de Don Diègue, Rodrigue se voit contraint de se conformer à un modèle d'héroïsme uniquement guerrier. Il doit obéir à la loi du père, code d'honneur ancien, et pour cela embrasser la vengeance et renoncer à son amour pour Chimène. Cette obligation ne va pas sans souffrance pour le jeune homme, qui reste sous le choc, muet à la fin de la scène. La suite de la pièce voit évoluer le héros, qui, dans son second dialogue avec Don Diègue (acte III, scène 6), osera défendre devant son père une autre forme d'héroïsme, où honneur et amour peuvent coexister.

❓ *Les trois questions de l'examinateur*

Question 1. Don Diègue transmet à Rodrigue son « fer », métonymie de l'épée. À quels autres moments cet objet réapparaît-il dans la pièce, et quel rôle y joue-t-il ?

Question 2. Lecture d'images Le comédien Gérard Philipe est célèbre pour son interprétation de Rodrigue. Comparez son portrait dans ce rôle, reproduit p. 108, aux photographies des deux acteurs dans les mises en scène de Declan Donnellan et d'Alain Ollivier (reproduits en début d'ouvrage, au verso de la couverture). Précisez laquelle des trois images, selon vous, traduit le plus fidèlement l'attitude et la personnalité de Rodrigue au cours de ce premier acte.

Question 3. Connaissez-vous d'autres pièces de théâtre dans lesquelles les rapports entre parents et enfant sont au cœur de l'intrigue ?

Noël Le Mire d'après Hubert Gravelot,
illustration de la scène 4 de l'acte I du *Cid*, 1762, gravure.

ACTE II

Scène 1
DON ARIAS, LE COMTE

LE COMTE

Je l'avoue entre nous, quand je lui fis l'affront
J'eus le sang un peu chaud, et le bras un peu prompt,
355 Mais puisque c'en est fait, le coup est sans remède.

DON ARIAS

Qu'aux volontés du Roi ce grand courage cède,
Il y prend grande part, et son cœur irrité
Agira contre vous de pleine autorité[1].
Aussi vous n'avez point de valable défense :
360 Le rang de l'offensé, la grandeur de l'offense,
Demandent des devoirs et des submissions[2]
Qui passent le commun des satisfactions[3].

LE COMTE

Qu'il prenne donc ma vie, elle est en sa puissance.

---

1. **De pleine autorité** : en employant toute sa puissance royale.
2. **Submissions** : marques d'obéissance.
3. **Qui passent le commun des satisfactions** : qui demandent plus d'excuses que la normale.

Don Arias

Un peu moins de transport[1], et plus d'obéissance,
365   D'un Prince qui vous aime apaisez le courroux,
Il a dit : Je le veux. Désobéirez-vous ?

Le Comte

Monsieur, pour conserver[2] ma gloire et mon estime
Désobéir un peu n'est pas un si grand crime.
Et quelque grand qu'il fût, mes services présents
370   Pour le faire abolir[3] sont plus que suffisants.

Don Arias

Quoi qu'on fasse d'illustre et de considérable
Jamais à son sujet un Roi n'est redevable :
Vous vous flattez beaucoup, et vous devez savoir
Que qui sert bien son Roi ne fait que son devoir.
375   Vous vous perdrez, Monsieur, sur cette confiance[4].

Le Comte

Je ne vous en croirai qu'après l'expérience[5].

Don Arias

Vous devez redouter la puissance d'un Roi.

Le Comte

Un jour seul ne perd pas un homme tel que moi.
Que toute sa grandeur s'arme pour mon supplice[6],
380   Tout l'État périra plutôt que[7] je périsse.

---

1. **Transport** : manifestation trop vive d'une passion, ici du sens de l'honneur.
2. **Conserver** : préserver, protéger.
3. **Pour le faire abolir** : pour faire pardonner ce crime par un acte de grâce.
4. **Vous vous perdrez sur cette confiance** : vous causerez votre perte en vous fiant à l'idée que le Roi va vous gracier.
5. **Après l'expérience** : après l'avoir vu de mes yeux.
6. **Supplice** : châtiment, punition.
7. **Plutôt que** : avant que.

Don Arias

Quoi ? vous craignez si peu le pouvoir souverain ?

Le Comte

D'un sceptre qui sans moi tomberait de sa main ?
Il a trop d'intérêt lui-même en ma personne,
Et ma tête en tombant ferait choir[1] sa couronne.

Don Arias

385 Souffrez que la raison remette vos esprits.
Prenez un bon conseil[2].

Le Comte

Le conseil en est pris.

Don Arias

Que lui dirai-je enfin ? Je lui dois rendre compte.

Le Comte

Que je ne puis du tout consentir à ma honte.

Don Arias

Mais songez que les Rois veulent être absolus.

Le Comte

390 Le sort en est jeté, Monsieur, n'en parlons plus.

Don Arias

Adieu donc, puisqu'en vain je tâche à vous résoudre[3] ;
Tout couvert de lauriers, craignez encor la foudre[4].

---

1. Choir : tomber.
2. Conseil : ici, décision.
3. Résoudre : convaincre.
4. Foudre : ici, colère du souverain. La foudre est l'attribut de Jupiter, roi des dieux dans la mythologie romaine.

LE COMTE

Je l'attendrai sans peur.

DON ARIAS

Mais non pas sans effet[1].

LE COMTE

Nous verrons donc par là Don Diègue satisfait[2].

Don Arias rentre.

395 Je m'étonne[3] fort peu de menaces pareilles.
Dans les plus grands périls[4] je fais plus de merveilles,
Et quand l'honneur y va[5], les plus cruels trépas
Présentés à mes yeux ne m'ébranleraient pas.

❧

Scène 2

LE COMTE, DON RODRIGUE

DON RODRIGUE

À moi, Comte, deux mots.

LE COMTE

Parle.

DON RODRIGUE

Ôte-moi d'un doute.

---

1. **Effet** : conséquence.
2. **Satisfait** : ayant obtenu réparation, vengé.
3. **Étonne** : effraie.
4. **Périls** : dangers.
5. **Y va** : est en jeu.

400 Connais-tu bien Don Diègue ?

LE COMTE

Oui.

DON RODRIGUE

              Parlons bas, écoute.
Sais-tu que ce vieillard fut la même vertu[1],
La vaillance, et l'honneur de son temps ? le sais-tu ?

LE COMTE

Peut-être.

DON RODRIGUE

        Cette ardeur que dans les yeux je porte,
Sais-tu que c'est son sang ? le sais-tu ?

LE COMTE

              Que m'importe ?

DON RODRIGUE

405 À quatre pas d'ici je te le fais savoir[2].

LE COMTE

Jeune présomptueux.

DON RODRIGUE

        Parle sans t'émouvoir[3].
Je suis jeune, il est vrai, mais aux âmes bien nées[4]
La valeur n'attend pas le nombre des années.

---

1. **La même vertu** : la vertu même.
2. Ici, Rodrigue provoque ouvertement le Comte en duel.
3. **Sans t'émouvoir** : sans te laisser gagner par l'émotion, sans colère.
4. **Bien nées** : de famille noble.

LE COMTE

Mais t'attaquer à moi ! qui t'a rendu si vain,
410   Toi qu'on n'a jamais vu les armes à la main ?

DON RODRIGUE

Mes pareils à deux fois ne se font point connaître[1],
Et pour leurs coups d'essai veulent des coups de maître.

LE COMTE

Sais-tu bien qui je suis ?

DON RODRIGUE

             Oui, tout autre que moi
Au seul bruit de ton nom pourrait trembler d'effroi,
415   Mille et mille lauriers dont ta tête est couverte
Semblent porter écrit le destin de ma perte,
J'attaque en téméraire un bras toujours vainqueur,
Mais j'aurai trop de force ayant assez de cœur,
À qui venge son père il n'est rien impossible,
420   Ton bras est invaincu, mais non pas invincible.

LE COMTE

Ce grand cœur qui paraît aux discours que tu tiens
Par tes yeux chaque jour se découvrait aux miens,
Et croyant voir en toi l'honneur de la Castille,
Mon âme avec plaisir te destinait ma fille.
425   Je sais ta passion, et suis ravi de voir
Que tous ses mouvements[2] cèdent à ton devoir,
Qu'ils n'ont point affaibli cette ardeur magnanime[3],
Que ta haute vertu répond à mon estime,

---

1. Mes pareils à deux fois ne se font point connaître : les hommes aussi braves que moi n'ont pas besoin de deux occasions pour révéler leur courage.
2. Mouvements : élans du cœur.
3. Magnanime : qui est le signe d'une grande âme.

Et que voulant pour gendre un Chevalier parfait
430 Je ne me trompais point au choix que j'avais fait.
Mais je sens que pour toi ma pitié s'intéresse,
J'admire ton courage, et je plains ta jeunesse.
Ne cherche point à faire un coup d'essai fatal,
Dispense ma valeur d'un combat inégal,
435 Trop peu d'honneur pour moi suivrait cette victoire,
À vaincre sans péril on triomphe sans gloire,
On te croirait toujours abattu sans effort,
Et j'aurais seulement le regret de ta mort.

Don Rodrigue

D'une indigne pitié ton audace est suivie.
440 Qui m'ose ôter l'honneur craint de m'ôter la vie.

Le Comte

Retire-toi d'ici.

Don Rodrigue

Marchons sans discourir.

Le Comte

Es-tu si las de vivre ?

Don Rodrigue

As-tu peur de mourir ?

Le Comte

Viens, tu fais ton devoir, et le fils dégénère[1]
Qui survit[2] un moment à l'honneur de son père.

༈

---

1. **Dégénère** : n'est pas à la hauteur de ses ancêtres.
2. **Qui survit** : s'il survit.

Scène 3

L'Infante, Chimène, Léonor

L'Infante

445 Apaise, ma Chimène, apaise ta douleur,
Fais agir ta constance[1] en ce coup de malheur,
Tu reverras le calme après ce faible orage,
Ton bonheur n'est couvert que d'un petit nuage,
Et tu n'as rien perdu pour le voir différer[2].

Chimène

450 Mon cœur outré d'ennuis[3] n'ose rien espérer,
Un orage si prompt qui trouble une bonace[4]
D'un naufrage certain nous porte la menace.
Je n'en saurais douter, je péris dans le port[5].
J'aimais, j'étais aimée, et nos pères d'accord,
455 Et je vous en contais la première nouvelle
Au malheureux moment que naissait leur querelle,
Dont le récit fatal sitôt qu'on vous l'a fait
D'une si douce attente a ruiné l'effet.
Maudite ambition, détestable manie[6],
460 Dont les plus généreux souffrent la tyrannie,
Impitoyable honneur, mortel à mes plaisirs,
Que tu me vas coûter de pleurs et de soupirs !

L'Infante

Tu n'as dans leur querelle aucun sujet de craindre,
Un moment l'a fait naître, un moment va l'éteindre,

---

1. **Constance** : fermeté de caractère, force morale.
2. **Différer** : retarder.
3. **Outré** : surchargé ; **ennuis** : chagrins profonds, souffrances.
4. **Bonace** : calme plat sur la mer.
5. **Dans le port** : tout près du but.
6. **Manie** : passion proche de la folie.

465 Elle a fait trop de bruit pour ne pas s'accorder[1],
Puisque déjà le Roi les veut accommoder[2],
Et de ma part mon âme à tes ennuis sensible
Pour en tarir la source y fera l'impossible.

CHIMÈNE

Les accommodements ne font rien en ce point,
470 Les affronts à l'honneur ne se réparent point,
En vain on fait agir la force, ou la prudence,
Si l'on guérit le mal, ce n'est qu'en apparence,
La haine que les cœurs conservent au-dedans
Nourrit des feux cachés, mais d'autant plus ardents.

L'INFANTE

475 Le saint nœud qui joindra Don Rodrigue et Chimène
Des pères ennemis dissipera la haine,
Et nous verrons bientôt votre amour le plus fort
Par un heureux Hymen étouffer ce discord[3].

CHIMÈNE

Je le souhaite ainsi plus que je ne l'espère;
480 Don Diègue est trop altier[4], et je connais mon père.
Je sens couler des pleurs que je veux retenir,
Le passé me tourmente, et je crains l'avenir.

L'INFANTE

Que crains-tu? d'un vieillard l'impuissante faiblesse?

CHIMÈNE

Rodrigue a du courage.

L'INFANTE

Il a trop de jeunesse.

_____

1. **S'accorder**: s'achever par une réconciliation.
2. **Les accommoder**: terminer leur querelle à l'amiable, les réconcilier.
3. **Discord**: dispute violente, haine.
4. **Altier**: fier.

CHIMÈNE

485 Les hommes valeureux le sont du premier coup.

L'INFANTE

Tu ne dois pas pourtant le redouter beaucoup,
Il est trop amoureux pour te vouloir déplaire,
Et deux mots de ta bouche arrêtent sa colère.

CHIMÈNE

S'il ne m'obéit point, quel comble à mon ennui !
490 Et s'il peut m'obéir, que dira-t-on de lui ?
Souffrir un tel affront étant né Gentilhomme !
Soit qu'il cède, ou résiste au feu qui le consomme[1],
Mon esprit ne peut qu'être, ou honteux, ou confus,
De son trop de respect, ou d'un juste refus.

L'INFANTE

495 Chimène est généreuse, et quoique intéressée[2]
Elle ne peut souffrir une lâche pensée !
Mais si jusques au jour de l'accommodement
Je fais mon prisonnier de ce parfait amant,
Et que j'empêche ainsi l'effet de son courage,
500 Ton esprit amoureux n'aura-t-il point d'ombrage ?

CHIMÈNE

Ah ! Madame ! en ce cas je n'ai plus de souci.

---

1. **Consomme** : consume, brûle.
2. **Quoique intéressée** : bien que son intérêt personnel soit en jeu.

Scène 4

L'Infante, Chimène, Léonor, Le Page

L'Infante

Page, cherchez Rodrigue, et l'amenez ici.

Le Page

Le Comte de Gormas et lui…

Chimène

Bon Dieu ! je tremble.

L'Infante

Parlez.

Le Page

De ce Palais ils sont sortis ensemble.

Chimène

505 Seuls ?

Le Page

Seuls, et qui semblaient tout bas se quereller.

Chimène

Sans doute ils sont aux mains, il n'en faut plus parler[1] :
Madame, pardonnez à cette promptitude.

✤

---

1. **Sans doute** : sans aucun doute ; **il n'en faut plus parler** : la question ne se pose plus.

Scène 5

L'Infante, Léonor

L'Infante

Hélas ! que dans l'esprit je sens d'inquiétude !
Je pleure ses malheurs, son amant me ravit[1],
510 Mon repos m'abandonne, et ma flamme revit.
Ce qui va séparer Rodrigue de Chimène
Avecque mon espoir fait renaître ma peine,
Et leur division que je vois à regret
Dans mon esprit charmé jette un plaisir secret.

Léonor

515 Cette haute vertu qui règne dans votre âme
Se rend-elle si tôt[2] à cette lâche flamme ?

L'Infante

Ne la nomme point lâche à présent que chez moi
Pompeuse[3] et triomphante elle me fait la loi.
Porte-lui du respect puisqu'elle m'est si chère ;
520 Ma vertu la combat, mais malgré moi j'espère,
Et d'un si fol espoir mon cœur mal défendu
Vole après un amant que Chimène a perdu.

Léonor

Vous laissez choir ainsi ce glorieux courage,
Et la raison chez vous perd ainsi son usage ?

L'Infante

525 Ah ! qu'avec peu d'effet on entend la raison,

---

1. **Me ravit** : m'emporte le cœur, me rend amoureuse.
2. **Tôt** : vite.
3. **Pompeuse** : éclatante, magnifique.

Quand le cœur est atteint d'un si charmant poison !
Alors que le malade aime sa maladie,
Il ne peut plus souffrir que l'on y remédie.

LÉONOR

Votre espoir vous séduit[1], votre mal vous est doux,
530   Mais toujours ce Rodrigue est indigne de vous.

L'INFANTE

Je ne le sais que trop, mais si ma vertu cède
Apprends comme l'amour flatte un cœur qu'il possède.
Si Rodrigue une fois[2] sort vainqueur du combat,
Si dessous sa valeur ce grand guerrier s'abat[3],
535   Je puis en faire cas[4], je puis l'aimer sans honte,
Que ne fera-t-il point s'il peut vaincre le Comte ?
J'ose m'imaginer qu'à ses moindres exploits
Les Royaumes entiers tomberont sous ses lois,
Et mon amour flatteur déjà me persuade
540   Que je le vois assis au trône de Grenade,
Les Mores subjugués[5] trembler en l'adorant,
L'Aragon recevoir ce nouveau conquérant,
Le Portugal se rendre, et ses nobles journées
Porter delà les mers ses hautes destinées,
545   Au milieu de l'Afrique arborer ses lauriers :
Enfin tout ce qu'on dit des plus fameux guerriers,
Je l'attends de Rodrigue après cette victoire,
Et fais de son amour un sujet de ma gloire.

---

1. **Séduit** : charme et trompe en même temps.
2. **Si Rodrigue une fois** : si jamais Rodrigue.
3. **Ce grand guerrier** : le Comte ; **s'abat** : succombe, meurt.
4. **En faire cas** : l'estimer.
5. **Mores** (ou Maures) : habitants des royaumes musulmans qui, au XIᵉ siècle, recouvraient une grande partie du Portugal et de l'Espagne ; **subjugués** : soumis par la force.

LÉONOR

Mais, Madame, voyez où vous portez son bras,
550 Ensuite[1] d'un combat qui peut-être n'est pas.

L'INFANTE

Rodrigue est offensé, le Comte a fait l'outrage,
Ils sont sortis ensemble, en faut-il davantage?

LÉONOR

Je veux[2] que ce combat demeure pour certain.
Votre esprit va-t-il point bien vite pour sa main?

L'INFANTE

555 Que veux-tu? je suis folle, et mon esprit s'égare,
Mais c'est le moindre mal que l'amour me prépare,
Viens dans mon cabinet[3] consoler mes ennuis,
Et ne me quitte point dans le trouble où je suis.

Scène 6

LE ROI, DON ARIAS, DON SANCHE, DON ALONSE

LE ROI

Le Comte est donc si vain, et si peu raisonnable!
560 Ose-t-il croire encor son crime pardonnable?

---

1. **Ensuite**: à la suite.
2. **Je veux**: ici, j'admets.
3. **Cabinet**: petite pièce retirée.

DON ARIAS

Je l'ai de votre part longtemps entretenu,
J'ai fait mon pouvoir[1], Sire, et n'ai rien obtenu.

LE ROI

Justes Cieux! Ainsi donc un sujet téméraire
A si peu de respect, et de soin[2] de me plaire!
565 Il offense Don Diègue, et méprise son Roi!
Au milieu de ma Cour il me donne la loi!
Qu'il soit brave guerrier, qu'il soit grand Capitaine,
Je lui rabattrai[3] bien cette humeur si hautaine,
Fût-il la valeur même, et le Dieu des combats,
570 Il verra ce que c'est que de n'obéir pas.
Je sais trop comme il faut dompter cette insolence,
Je l'ai voulu d'abord traiter sans violence,
Mais puisqu'il en abuse, allez dès aujourd'hui,
Soit qu'il résiste, ou non, vous assurer de lui[4].

Don Alonse rentre.

DON SANCHE

575 Peut-être un peu de temps le rendrait moins rebelle,
On l'a pris tout bouillant encor de sa querelle,
Sire, dans la chaleur d'un premier mouvement
Un cœur si généreux se rend malaisément[5];
On voit bien qu'on a tort, mais une âme si haute
580 N'est pas si tôt réduite à confesser sa faute.

---

1. **Mon pouvoir**: ce qui était en mon pouvoir.
2. **Soin**: volonté, souci.
3. **Rabattrai**: abaisserai, le débarrasserai de.
4. **Vous assurer de lui**: ici, l'arrêter.
5. **Malaisément**: difficilement.

LE ROI

Don Sanche, taisez-vous, et soyez averti
Qu'on se rend criminel à prendre son parti.

DON SANCHE

J'obéis, et me tais, mais, de grâce encor, Sire,
Deux mots en sa défense.

LE ROI

Et que pourrez-vous dire?

DON SANCHE

585 Qu'une âme accoutumée aux grandes actions
Ne se peut abaisser à des submissions:
Elle n'en conçoit point qui s'expliquent sans honte[1],
Et c'est contre ce mot qu'a résisté le Comte.
Il trouve en son devoir un peu trop de rigueur,
590 Et vous obéirait s'il avait moins de cœur.
Commandez que son bras, nourri dans les alarmes[2],
Répare cette injure à la pointe des armes,
Il satisfera, Sire, et vienne qui voudra,
Attendant qu'il l'ait su, voici qui répondra[3].

LE ROI

595 Vous perdez le respect, mais je pardonne à l'âge,
Et j'estime l'ardeur en un jeune courage;
Un Roi dont la prudence a de meilleurs objets
Est meilleur ménager[4] du sang de ses sujets.

---

1. **Qui s'expliquent sans honte**: que l'on réalise sans en tirer de honte.
2. **Son bras**: sa force; **nourri**: formé, forgé; **alarmes**: ici, dangers de la guerre.
3. **Attendant qu'il l'ait su, voici qui répondra**: en attendant que la nouvelle lui parvienne, je répondrai à tous les défis par mon épée que voici. Don Sanche propose au roi d'organiser un duel officiel entre un partisan de Don Diègue et le Comte, et se déclare prêt à prendre la place du Comte si nécessaire.
4. **Est meilleur ménager**: fait un meilleur usage.

Je veille pour les miens, mes soucis[1] les conservent,
600   Comme le chef a soin des membres qui le servent :
Ainsi votre raison n'est pas raison pour moi ;
Vous parlez en soldat, je dois agir en Roi,
Et quoi qu'il faille dire, et quoi qu'il veuille croire,
Le Comte à m'obéir ne peut perdre sa gloire.
605   D'ailleurs l'affront me touche, il a perdu d'honneur[2]
Celui que de mon fils j'ai fait le Gouverneur,
Et par ce trait hardi d'une insolence extrême
Il s'est pris à mon choix, il s'est pris à moi-même.
C'est moi qu'il satisfait en réparant ce tort.
610   N'en parlons plus. Au reste on nous menace fort :
Sur un avis reçu je crains une surprise[3].

DON ARIAS

Les Mores contre vous font-ils quelque entreprise[4] ?
S'osent-ils préparer à des efforts[5] nouveaux ?

LE ROI

Vers la bouche[6] du fleuve on a vu leurs vaisseaux,
615   Et vous n'ignorez pas qu'avec fort peu de peine
Un flux de pleine mer jusqu'ici les amène.

DON ARIAS

Tant de combats perdus leur ont ôté le cœur
D'attaquer désormais un si puissant vainqueur.

---

1. **Soucis** : soins.
2. **Perdu d'honneur** : déshonoré.
3. **Sur un avis reçu** : d'après une nouvelle qui m'est parvenue ; **surprise** : attaque imprévue.
4. **Entreprise** : tentative.
5. **Efforts** : efforts de guerre, attaques.
6. **Bouche** : embouchure.

LE ROI

N'importe, ils ne sauraient qu'avecque jalousie
620 Voir mon sceptre aujourd'hui régir l'Andalousie,
Et ce pays si beau que j'ai conquis sur eux
Réveille à tous moments leurs desseins généreux[1] :
C'est l'unique raison qui m'a fait dans Séville
Placer depuis dix ans le trône de Castille[2],
625 Pour les voir de plus près, et d'un ordre plus prompt
Renverser aussitôt ce qu'ils entreprendront.

DON ARIAS

Sire, ils ont trop appris aux dépens de leurs têtes[3]
Combien votre présence assure vos conquêtes :
Vous n'avez rien à craindre.

LE ROI

Et rien à négliger :
630 Le trop de confiance attire le danger,
Et le même ennemi que l'on vient de détruire,
S'il sait prendre son temps, est capable de nuire.

Don Alonse revient.

Toutefois j'aurais tort de jeter dans les cœurs,
L'avis étant mal sûr[4], de paniques terreurs,
635 L'effroi que produirait cette alarme inutile
Dans la nuit qui survient troublerait trop la ville :

---

1. Desseins généreux : ici, désirs de conquérir le pouvoir, qui occupent tout homme noble.
2. Dans ces vers, Corneille tâche de justifier le lieu où il a choisi de situer l'action. En effet, *Le Cid* se déroule à Séville, alors qu'historiquement la ville était sous domination musulmane : le trône de Castille ne devrait pas s'y trouver.
3. Aux dépens de leurs têtes : en le payant de leurs vies.
4. Mal sûr : peu sûr, peut-être faux.

Puisqu'on fait bonne garde aux murs et sur le port,
Il suffit pour ce soir.

Don Alonse

Sire, le Comte est mort,
Don Diègue par son fils a vengé son offense.

Le Roi

640 Dès que j'ai su l'affront, j'ai prévu la vengeance,
Et j'ai voulu dès lors prévenir ce malheur.

Don Alonse

Chimène à vos genoux apporte sa douleur,
Elle vient toute en pleurs vous demander justice.

Le Roi

Bien qu'à ses déplaisirs mon âme compatisse,
645 Ce que le Comte a fait semble avoir mérité
Ce juste châtiment de sa témérité.
Quelque juste pourtant que puisse être sa peine[1],
Je ne puis sans regret perdre un tel Capitaine ;
Après un long service à mon État rendu,
650 Après son sang pour moi mille fois répandu,
À quelques sentiments que son orgueil m'oblige[2],
Sa perte m'affaiblit, et son trépas m'afflige.

---

1. **Peine** : ici, punition.
2. **À quelques sentiments que son orgueil m'oblige** : bien que son orgueil m'ait déplu.

Scène 7

LE ROI, DON DIÈGUE, CHIMÈNE,
DON SANCHE, DON ARIAS, DON ALONSE

CHIMÈNE

Sire, Sire, justice.

DON DIÈGUE

Ah! Sire, écoutez-nous.

CHIMÈNE

Je me jette à vos pieds.

DON DIÈGUE

J'embrasse[1] vos genoux.

CHIMÈNE

655 Je demande justice.

DON DIÈGUE

Entendez ma défense.

CHIMÈNE

Vengez-moi d'une mort…

DON DIÈGUE

Qui punit l'insolence.

CHIMÈNE

Rodrigue, Sire…

---

1. Embrasse : prends dans mes bras. Dans l'Antiquité, s'agenouiller et étreindre les jambes de la personne qu'ils implorent est le geste rituel des suppliants.

DON DIÈGUE

A fait un coup[1] d'homme de bien.

CHIMÈNE

Il a tué mon père.

DON DIÈGUE

Il a vengé le sien.

CHIMÈNE

Au sang de ses sujets un Roi doit la justice.

DON DIÈGUE

660   Une vengeance juste est sans peur du supplice.

LE ROI

Levez-vous l'un et l'autre, et parlez à loisir[2].
Chimène, je prends part à votre déplaisir,
D'une égale[3] douleur je sens mon âme atteinte,
Vous parlerez après, ne troublez pas sa plainte[4].

CHIMÈNE

665   Sire, mon père est mort, mes yeux ont vu son sang
Couler à gros bouillons de son généreux flanc,
Ce sang qui tant de fois garantit[5] vos murailles,
Ce sang qui tant de fois vous gagna des batailles,
Ce sang qui tout[6] sorti fume encor de courroux
670   De se voir répandu pour d'autres que pour vous,

---

1. **Coup**: ici, acte.
2. **À loisir**: autant que vous voudrez.
3. **Égale**: aussi grande que la vôtre.
4. **Plainte**: discours d'accusation, tenu par une victime (sens juridique). Le Roi parle ici à Don Diègue.
5. **Garantit**: assura la sécurité de.
6. **Tout**: tout juste.

Qu'au milieu des hasards n'osait verser la guerre[1],
Rodrigue en votre Cour vient d'en couvrir la terre,
Et pour son coup d'essai son indigne attentat[2]
D'un si ferme soutien a privé votre État,
675 De vos meilleurs soldats abattu l'assurance[3],
Et de vos ennemis relevé l'espérance.
J'arrivai sur le lieu sans force et sans couleur,
Je le trouvai sans vie. Excusez ma douleur,
Sire, la voix me manque à ce récit funeste,
680 Mes pleurs et mes soupirs vous diront mieux le reste.

Le Roi

Prends courage, ma fille, et sache qu'aujourd'hui
Ton Roi te veut servir de père au lieu de lui.

Chimène

Sire, de trop d'honneur ma misère est suivie.
J'arrivai donc sans force, et le trouvai sans vie,
685 Il ne me parla point mais pour mieux m'émouvoir[4]
Son sang sur la poussière écrivait mon devoir,
Ou plutôt sa valeur en cet état réduite
Me parlait par sa plaie et hâtait ma poursuite[5],
Et pour se faire entendre au plus juste des Rois
690 Par cette triste bouche elle empruntait ma voix.
Sire, ne souffrez pas que sous votre puissance
Règne devant vos yeux une telle licence[6],
Que les plus valeureux avec impunité[7]
Soient exposés aux coups de la témérité,

---

1. **Qu'au milieu des hasards n'osait verser la guerre** : ce sang que, malgré les nombreux dangers, la guerre n'osait pas faire couler.
2. **Attentat** : crime.
3. **Abattu l'assurance** : brisé la confiance.
4. **Émouvoir** : ici, pousser à agir.
5. **Poursuite** : poursuite judiciaire, action en justice contre Rodrigue.
6. **Licence** : liberté excessive, mépris des lois.
7. **Avec impunité** : sans que leurs agresseurs ne soient punis.

695 Qu'un jeune audacieux triomphe de leur gloire,
Se baigne dans leur sang, et brave leur mémoire,
Un si vaillant guerrier qu'on vient de vous ravir[1]
Éteint, s'il n'est vengé, l'ardeur de vous servir.
Enfin mon père est mort, j'en demande vengeance,
700 Plus pour votre intérêt que pour mon allégeance[2] ;
Vous perdez en la mort d'un homme de son rang,
Vengez-la par une autre, et le sang par le sang,
Sacrifiez Don Diègue, et toute sa famille,
À vous, à votre peuple, à toute la Castille,
705 Le Soleil qui voit tout ne voit rien sous les Cieux
Qui vous puisse payer un sang si précieux.

LE ROI

Don Diègue, répondez.

DON DIÈGUE

            Qu'on est digne d'envie
Quand avecque la force on perd aussi la vie,
Sire, et que l'âge apporte aux hommes généreux
710 Avecque sa faiblesse[3] un destin malheureux !
Moi dont les longs travaux[4] ont acquis tant de gloire,
Moi que jadis partout a suivi la victoire,
Je me vois aujourd'hui pour avoir trop vécu
Recevoir un affront, et demeurer vaincu.
715 Ce que n'a pu jamais combat, siège, embuscade,
Ce que n'a pu jamais Aragon, ni Grenade,
Ni tous vos ennemis, ni tous mes envieux,
L'orgueil dans votre Cour l'a fait presque à vos yeux,

---

1. **Ravir** : enlever, prendre de force.
2. **Allégeance** : soulagement.
3. **Avecque sa faiblesse** : en les rendant faibles physiquement.
4. **Travaux** : travaux guerriers, actions militaires.

Et souillé sans respect l'honneur de ma vieillesse,
720 Avantagé de l'âge, et fort de ma faiblesse.
Sire, ainsi ces cheveux blanchis sous le harnois[1],
Ce sang pour vous servir prodigué tant de fois,
Ce bras jadis l'effroi d'une armée ennemie,
Descendaient[2] au tombeau tout chargés d'infamie,
725 Si je n'eusse produit un fils digne de moi,
Digne de son pays, et digne de son Roi.
Il m'a prêté sa main, il a tué le Comte,
Il m'a rendu l'honneur, il a lavé ma honte.
Si montrer du courage et du ressentiment,
730 Si venger un soufflet mérite un châtiment,
Sur moi seul doit tomber l'éclat de la tempête :
Quand le bras a failli l'on en punit la tête ;
Du crime glorieux qui cause nos débats[3],
Sire, j'en suis la tête, il n'en est que le bras,
735 Si Chimène se plaint qu'il a tué son père,
Il ne l'eût jamais fait, si je l'eusse pu faire.
Immolez[4] donc ce chef que les ans vont ravir,
Et conservez pour vous le bras qui peut servir,
Aux dépens de mon sang satisfaites Chimène,
740 Je n'y résiste point, je consens à ma peine,
Et loin de murmurer[5] d'un injuste décret
Mourant sans déshonneur je mourrai sans regret.

LE ROI

L'affaire est d'importance et, bien considérée,
Mérite en plein conseil d'être délibérée.

---

1. **Harnois** : armure.
2. **Descendaient** : seraient descendus.
3. **Débats** : querelles, affrontements verbaux.
4. **Immolez** : sacrifiez.
5. **Murmurer** : me plaindre.

745 Don Sanche, remettez Chimène en sa maison,
Don Diègue aura ma Cour et sa foi[1] pour prison.
Qu'on me cherche son fils. Je vous ferai justice.

CHIMÈNE

Il est juste, grand Roi, qu'un meurtrier périsse.

LE ROI

Prends du repos, ma fille, et calme tes douleurs.

CHIMÈNE

750 M'ordonner du repos, c'est croître mes malheurs.

---

1. **Foi** : parole donnée.

Louis-Ernest Barrias,
illustration de la scène 4 de l'acte III du *Cid*, 1880, gravure.

ACTE III

❧

Scène 1

DON RODRIGUE, ELVIRE

ELVIRE

Rodrigue, qu'as-tu fait? où viens-tu, misérable?

DON RODRIGUE

Suivre le triste cours de mon sort déplorable[1].

ELVIRE

Où prends-tu cette audace et ce nouvel orgueil
De paraître en des lieux que tu remplis de deuil?
755   Quoi? viens-tu jusqu'ici braver l'ombre[2] du Comte?
Ne l'as-tu pas tué?

DON RODRIGUE

                    Sa vie était ma honte,
Mon honneur de ma main a voulu cet effort.

ELVIRE

Mais chercher ton asile en la maison du mort!
Jamais un meurtrier en fit-il son refuge?

---

1. Déplorable: digne d'être pleuré, qui suscite la pitié.
2. Ombre: souvenir.

DON RODRIGUE

760 Jamais un meurtrier s'offrit-il à son Juge[1] ?
Ne me regarde plus d'un visage étonné[2],
Je cherche le trépas après l'avoir donné,
Mon Juge est mon amour, mon Juge est ma Chimène,
Je mérite la mort de mériter[3] sa haine,
765 Et j'en viens recevoir comme un bien souverain[4],
Et l'arrêt[5] de sa bouche, et le coup de sa main.

ELVIRE

Fuis plutôt de[6] ses yeux, fuis de sa violence,
À ses premiers transports dérobe ta présence ;
Va, ne t'expose point aux premiers mouvements
770 Que poussera l'ardeur de ses ressentiments.

DON RODRIGUE

Non, non, ce cher objet[7] à qui j'ai pu déplaire
Ne peut pour mon supplice avoir trop de colère,
Et d'un heur[8] sans pareil je me verrai combler
Si pour mourir plutôt je la puis redoubler[9].

ELVIRE

775 Chimène est au Palais de pleurs toute baignée,
Et n'en reviendra point que bien accompagnée.
Rodrigue, fuis de grâce, ôte-moi de souci,
Que ne dira-t-on point si l'on te voit ici ?

----

1. **Son Juge** : la personne chargée de le punir ; ici, Chimène.
2. **Étonné** : stupéfait, figé par la surprise et la terreur.
3. **De mériter** : parce que j'ai mérité.
4. **Souverain** : suprême.
5. **Arrêt** : décret, sentence.
6. **Fuis [...] de** : fuis loin de.
7. **Objet** : objet de mon amour.
8. **Heur** : bonheur.
9. **Si pour mourir plutôt je la puis redoubler** : si je peux augmenter sa colère et obtenir ainsi qu'elle me tue plus vite.

Veux-tu qu'un médisant[1] l'accuse en sa misère
780   D'avoir reçu chez soi l'assassin de son père ?
Elle va revenir, elle vient, je la vois.
Du moins pour son honneur, Rodrigue, cache-toi.

Il se cache.

Scène 2

DON SANCHE, CHIMÈNE, ELVIRE

DON SANCHE

Oui, Madame, il vous faut de sanglantes victimes,
Votre colère est juste, et vos pleurs légitimes,
785   Et je n'entreprends pas à force de parler,
Ni de vous adoucir, ni de vous consoler.
Mais si de vous servir je puis être capable,
Employez mon épée à punir le coupable,
Employez mon amour à venger cette mort,
790   Sous vos commandements mon bras sera trop[2] fort.

CHIMÈNE

Malheureuse !

DON SANCHE

Madame, acceptez mon service[3].

CHIMÈNE

J'offenserais le Roi, qui m'a promis justice.

---

1. Un médisant : quelqu'un qui dit du mal d'autrui.
2. Trop : ici, le plus.
3. Mon service : que je me mette à votre service.

DON SANCHE

Vous savez qu'elle marche avec tant de langueur[1]
Que bien souvent le crime échappe à sa longueur,
795 Son cours lent et douteux[2] fait trop perdre de larmes ;
Souffrez qu'un Chevalier vous venge par les armes,
La voie en est plus sûre, et plus prompte à punir.

CHIMÈNE

C'est le dernier remède, et s'il y faut venir,
Et que de mes malheurs cette pitié vous dure[3],
800 Vous serez libre alors de venger mon injure[4].

DON SANCHE

C'est l'unique bonheur où mon âme prétend,
Et pouvant l'espérer je m'en vais trop content.

Scène 3

CHIMÈNE, ELVIRE

CHIMÈNE

Enfin je me vois libre[5], et je puis sans contrainte
De mes vives douleurs te faire voir l'atteinte,
805 Je puis donner passage[6] à mes tristes soupirs,
Je puis t'ouvrir mon âme, et tous mes déplaisirs.

---

1. **Langueur** : lenteur.
2. **Douteux** : incertain.
3. **Et que de mes malheurs cette pitié vous dure** : et si, plus tard, vous avez toujours pitié de mon malheur.
4. **Mon injure** : l'injustice que j'ai subie.
5. **Libre** : libre de parler.
6. **Passage** : libre cours.

Mon père est mort, Elvire, et la première épée
Dont s'est armé Rodrigue a sa trame coupée[1].
Pleurez, pleurez mes yeux, et fondez-vous en eau,
810 La moitié de ma vie[2] a mis l'autre au tombeau,
Et m'oblige à venger, après ce coup funeste,
Celle que je n'ai plus, sur celle qui me reste.

ELVIRE

Reposez-vous[3], Madame.

CHIMÈNE

                 Ah ! que mal à propos
Ton avis importun[4] m'ordonne du repos !
815 Par où sera jamais mon âme satisfaite
Si je pleure ma perte, et la main qui l'a faite ?
Et que puis-je espérer qu'un[5] tourment éternel
Si je poursuis un crime aimant le criminel ?

ELVIRE

Il vous prive d'un père, et vous l'aimez encore !

CHIMÈNE

820 C'est peu de dire aimer, Elvire, je l'adore[6] :
Ma passion s'oppose à mon ressentiment,
Dedans mon ennemi je trouve mon amant,
Et je sens qu'en dépit de toute ma colère
Rodrigue dans mon cœur combat encor mon père.
825 Il l'attaque, il le presse, il cède[7], il se défend,
Tantôt fort, tantôt faible, et tantôt triomphant :

---

1. **A sa trame coupée** : a mis fin à ses jours. Ce vers reprend l'image de la Parque coupant le fil de la vie humaine (voir note 3, p. 24).
2. **La moitié de ma vie** : l'homme que j'aime, Rodrigue.
3. **Reposez-vous** : apaisez-vous.
4. **Importun** : hors de propos, déplacé.
5. **Qu'un** : d'autre qu'un.
6. **Adore** : aime d'un amour plus fort que tout, d'une passion que l'on réserve à Dieu.
7. **Presse** : ici, serre de près dans le combat ; **cède** : recule.

Mais en ce dur combat de colère et de flamme
Il déchire mon cœur sans partager mon âme[1],
Et quoi que mon amour ait sur moi de pouvoir
830 Je ne consulte point[2] pour suivre mon devoir,
Je cours sans balancer où mon honneur m'oblige ;
Rodrigue m'est bien cher, son intérêt m'afflige[3],
Mon cœur prend son parti, mais contre leur effort
Je sais que je suis fille, et que mon père est mort.

ELVIRE

835 Pensez-vous le poursuivre ?

CHIMÈNE

                    Ah ! cruelle pensée,
Et cruelle poursuite où je me vois forcée !
Je demande sa tête, et crains de l'obtenir,
Ma mort suivra la sienne, et je le veux punir.

ELVIRE

Quittez, quittez, Madame, un dessein[4] si tragique,
840 Ne vous imposez point de loi si tyrannique.

CHIMÈNE

Quoi ? J'aurai vu mourir mon père entre mes bras
Son sang criera vengeance et je ne l'orrai[5] pas !
Mon cœur honteusement surpris[6] par d'autres charmes
Croira ne lui devoir que d'impuissantes larmes !
845 Et je pourrai souffrir qu'un amour suborneur
Dans un lâche silence étouffe mon honneur !

---

1. **Il déchire [...] mon âme** : je souffre mais mon esprit n'est pas en proie au dilemme, je sais ce que je dois faire.
2. **Je ne consulte point** : je n'ai pas besoin de réfléchir.
3. **Son intérêt** : l'amour que j'ai pour lui ; **m'afflige** : me fait profondément souffrir.
4. **Dessein** : volonté, projet.
5. **Orrai** : écouterai.
6. **Surpris** : conquis par surprise, pris en traître.

ELVIRE

Madame, croyez-moi, vous serez excusable
De conserver pour vous un homme incomparable,
Un amant si chéri ; vous avez assez fait,
850 Vous avez vu le Roi, n'en pressez point d'effet[1],
Ne vous obstinez point en cette humeur étrange.

CHIMÈNE

Il y va de ma gloire, il faut que je me venge,
Et de quoi que nous flatte un désir amoureux[2],
Toute excuse est honteuse aux esprits généreux.

ELVIRE

855 Mais vous aimez Rodrigue, il ne vous peut déplaire.

CHIMÈNE

Je l'avoue.

ELVIRE

Après tout[3] que pensez-vous donc faire ?

CHIMÈNE

Pour conserver ma gloire, et finir mon ennui,
Le poursuivre, le perdre[4], et mourir après lui.

---

1. **N'en pressez point d'effet** : ne hâtez pas son jugement.
2. **De quoi que nous flatte un désir amoureux** : quoi que nous pousse à souhaiter l'amour trompeur.
3. **Après tout** : par conséquent.
4. **Le perdre** : causer sa perte, le faire mourir.

Scène 4

DON RODRIGUE, CHIMÈNE, ELVIRE

DON RODRIGUE

Eh bien, sans vous donner la peine de poursuivre,
860   Saoulez-vous du plaisir de m'empêcher de vivre.

CHIMÈNE

Elvire, où sommes-nous? et qu'est-ce que je vois?
Rodrigue en ma maison! Rodrigue devant moi!

DON RODRIGUE

N'épargnez point mon sang, goûtez sans résistance
La douceur de ma perte et de votre vengeance.

CHIMÈNE

865   Hélas!

DON RODRIGUE

Écoute-moi.

CHIMÈNE

Je me meurs.

DON RODRIGUE

Un moment.

CHIMÈNE

Va, laisse-moi mourir.

DON RODRIGUE

Quatre mots seulement,
Après ne me réponds qu'avecque cette épée.

CHIMÈNE

Quoi ? du sang de mon père encor toute trempée !

DON RODRIGUE

Ma Chimène.

CHIMÈNE

        Ôte-moi cet objet odieux
870 Qui reproche ton crime et ta vie à mes yeux.

DON RODRIGUE

Regarde-le plutôt pour exciter ta haine,
Pour croître ta colère, et pour hâter ma peine[1].

CHIMÈNE

Il est teint de mon sang[2].

DON RODRIGUE

           Plonge-le dans le mien,
Et fais-lui perdre ainsi la teinture du tien.

CHIMÈNE

875 Ah ! quelle cruauté, qui tout en un jour tue
Le père par le fer, la fille par la vue !
Ôte-moi cet objet, je ne le puis souffrir,
Tu veux que je t'écoute et tu me fais mourir.

DON RODRIGUE

Je fais ce que tu veux, mais sans quitter l'envie
880 De finir par tes mains ma déplorable vie ;
Car enfin n'attends pas de mon affection
Un lâche repentir d'une bonne action :

---

1. **Peine** : châtiment.
2. **De mon sang** : du sang de mon père.

De la main de ton père un coup irréparable
Déshonorait du mien la vieillesse honorable,
885   Tu sais comme un soufflet touche un homme de cœur;
J'avais part à l'affront, j'en ai cherché l'auteur,
Je l'ai vu, j'ai vengé mon honneur et mon père,
Je le ferais encor, si j'avais à le faire.
Ce n'est pas qu'en effet[1] contre mon père et moi
890   Ma flamme assez longtemps n'ait combattu pour toi:
Juge de son pouvoir; dans une telle offense
J'ai pu douter encor si j'en prendrais vengeance,
Réduit à te déplaire, ou souffrir un affront,
J'ai retenu ma main, j'ai cru mon bras trop prompt,
895   Je me suis accusé de trop de violence:
Et ta beauté sans doute emportait la balance[2],
Si je n'eusse opposé contre tous tes appas
Qu'un homme sans honneur ne te méritait pas,
Qu'après m'avoir chéri quand je vivais sans blâme[3]
900   Qui m'aima généreux, me haïrait infâme,
Qu'écouter ton amour, obéir à sa voix,
C'était m'en rendre indigne et diffamer ton choix[4].
Je te le dis encore, et veux, tant que[5] j'expire,
Sans cesse le penser et sans cesse le dire:
905   Je t'ai fait une offense, et j'ai dû m'y porter[6],
Pour effacer ma honte et pour te mériter.
Mais, quitte envers l'honneur, et quitte envers mon père,
C'est maintenant à toi que je viens satisfaire,
C'est pour t'offrir mon sang qu'en ce lieu tu me vois,
910   J'ai fait ce que j'ai dû, je fais ce que je dois.

---

1. **En effet**: en réalité.
2. **Emportait la balance**: aurait fait pencher la balance en ta faveur.
3. **Blâme**: accusation de déshonneur et d'immoralité.
4. **Diffamer ton choix**: rendre ton choix indigne de toi.
5. **Tant que**: jusqu'à ce que.
6. **M'y porter**: m'y résoudre.

Je sais qu'un père mort t'arme contre mon crime,
Je ne t'ai pas voulu dérober ta victime,
Immole avec courage au sang qu'il a perdu
Celui qui met sa gloire à l'avoir répandu.

CHIMÈNE

915 Ah Rodrigue ! il est vrai, quoique ton ennemie,
Je ne te puis blâmer d'avoir fui l'infamie,
Et de quelque façon qu'éclatent mes douleurs,
Je ne t'accuse point, je pleure mes malheurs.
Je sais ce que l'honneur, après un tel outrage,
920 Demandait à l'ardeur d'un généreux courage,
Tu n'as fait le devoir que d'un homme de bien ;
Mais aussi, le faisant, tu m'as appris le mien.
Ta funeste valeur m'instruit par ta victoire ;
Elle a vengé ton père et soutenu ta gloire,
925 Même soin me regarde[1], et j'ai, pour m'affliger,
Ma gloire à soutenir, et mon père à venger.
Hélas ! ton intérêt ici me désespère.
Si quelque autre malheur m'avait ravi mon père,
Mon âme aurait trouvé dans le bien de te voir
930 L'unique allégement qu'elle eût pu recevoir,
Et contre ma douleur j'aurais senti des charmes[2]
Quand une main si chère eût essuyé mes larmes.
Mais il me faut te perdre après l'avoir perdu ;
Et pour mieux tourmenter mon esprit éperdu,
935 Avec tant de rigueur mon astre[3] me domine,
Qu'il me faut travailler moi-même à ta ruine ;
Car enfin n'attends pas de mon affection
De lâches sentiments pour ta punition[4] :

---

1. **Même soin me regarde** : il m'appartient de faire de même.
2. **Des charmes** : ici, l'action magique de ta présence, qui m'aurait consolée.
3. **Astre** : destinée.
4. **De mon affection/De lâches sentiments pour ta punition** : que mon amour m'ôte le courage de te punir.

De quoi qu'en ta faveur notre amour m'entretienne[1]
940 Ma générosité doit répondre à la tienne,
Tu t'es en m'offensant montré digne de moi,
Je me dois par ta mort montrer digne de toi.

DON RODRIGUE

Ne diffère donc plus ce que l'honneur t'ordonne,
Il demande ma tête et je te l'abandonne,
945 Fais-en un sacrifice à ce noble intérêt,
Le coup m'en sera doux aussi bien que l'arrêt.
Attendre après mon crime une lente justice
C'est reculer[2] ta gloire autant que mon supplice,
Je mourrai trop heureux mourant d'un coup si beau.

CHIMÈNE

950 Va, je suis ta partie[3], et non pas ton bourreau.
Si tu m'offres ta tête, est-ce à moi de la prendre?
Je la dois attaquer, mais tu dois la défendre,
C'est d'un autre que toi qu'il me faut l'obtenir
Et je dois te poursuivre et non pas te punir.

DON RODRIGUE

955 De quoi qu'en ma faveur notre amour t'entretienne,
Ta générosité doit répondre à la mienne.
Et pour venger un père emprunter d'autres bras,
Ma Chimène, crois-moi, c'est n'y répondre pas:
Ma main seule du mien a su venger l'offense,
960 Ta main seule du tien doit prendre la vengeance.

---

1. De quoi qu'en ta faveur notre amour m'entretienne: quels que soient les arguments que trouve mon amour en ta faveur.
2. Reculer: repousser à plus tard.
3. Partie: adversaire en justice.

CHIMÈNE

Cruel, à quel propos sur ce point t'obstiner ?
Tu t'es vengé sans aide et tu m'en veux donner !
Je suivrai ton exemple, et j'ai trop de courage
Pour souffrir qu'avec toi ma gloire se partage :
965 Mon père et mon honneur ne veulent rien devoir
Aux traits de ton amour, ni de ton désespoir.

DON RODRIGUE

Rigoureux point d'honneur[1] ! hélas ! quoi que je fasse
Ne pourrai-je à la fin obtenir cette grâce ?
Au nom d'un père mort, ou de notre amitié[2],
970 Punis-moi par vengeance, ou du moins par pitié,
Ton malheureux amant aura bien moins de peine
À mourir par ta main, qu'à vivre avec ta haine.

CHIMÈNE

Va, je ne te hais point.

DON RODRIGUE

Tu le dois.

CHIMÈNE

Je ne puis.

DON RODRIGUE

Crains-tu si peu le blâme, et si peu les faux bruits[3] ?
975 Quand on saura mon crime et que ta flamme dure[4],
Que ne publieront point l'envie et l'imposture[5] ?

---

1. Rigoureux point d'honneur : quels principes sévères.
2. Amitié : amour.
3. Faux bruits : rumeurs.
4. Ta flamme dure : tu m'aimes encore.
5. Que ne publieront point l'envie et l'imposture : qu'iront raconter les jaloux et les menteurs.

Force-les au silence, et sans plus discourir
Sauve ta renommée en me faisant mourir.

CHIMÈNE

Elle éclate[1] bien mieux en te laissant en vie,
980 Et je veux que la voix de la plus noire[2] envie
Élève au Ciel ma gloire, et plaigne mes ennuis,
Sachant que je t'adore et que je te poursuis.
Va-t'en, ne montre plus à ma douleur extrême
Ce qu'il faut que je perde, encore que je l'aime,
985 Dans l'ombre de la nuit cache bien ton départ,
Si l'on te voit sortir, mon honneur court hasard[3],
La seule occasion qu'aura la médisance[4]
C'est de savoir qu'ici j'ai souffert ta présence,
Ne lui donne point lieu d'attaquer ma vertu.

DON RODRIGUE

990 Que je meure.

CHIMÈNE

Va-t'en.

DON RODRIGUE

À quoi te résous-tu ?

CHIMÈNE

Malgré des feux si beaux qui rompent ma colère,
Je ferai mon possible à bien venger mon père,
Mais malgré la rigueur d'un si cruel devoir,
Mon unique souhait est de ne rien pouvoir.

---

1. Éclate : se fait connaître, paraît au grand jour.
2. Noire : ici, acharnée, méchante.
3. Court hasard : est en danger.
4. La seule occasion qu'aura la médisance : la seule chose que trouveront à redire les médisants.

DON RODRIGUE

995 Ô miracle d'amour !

CHIMÈNE

Mais comble de misères.

DON RODRIGUE

Que de maux et de pleurs nous coûteront nos pères !

CHIMÈNE

Rodrigue, qui l'eût cru !

DON RODRIGUE

Chimène, qui l'eût dit !

CHIMÈNE

Que notre heur fût si proche et si tôt se perdît !

DON RODRIGUE

Et que si près du port, contre toute apparence,
1000 Un orage si prompt brisât notre espérance !

CHIMÈNE

Ah, mortelles douleurs !

DON RODRIGUE

Ah, regrets superflus !

CHIMÈNE

Va-t'en, encore un coup, je ne t'écoute plus.

DON RODRIGUE

Adieu, je vais traîner une mourante vie,
Tant que par ta poursuite elle me soit ravie.

Chimène

1005 Si j'en obtiens l'effet[1], je te donne ma foi
De ne respirer pas un moment après toi.
Adieu, sors, et surtout garde[2] bien qu'on te voie.

Elvire

Madame, quelques maux que le Ciel nous envoie…

Chimène

Ne m'importune plus, laisse-moi soupirer,
1010 Je cherche le silence, et la nuit pour pleurer.

Scène 5

Don Diègue, *seul.*

Jamais nous ne goûtons de parfaite allégresse,
Nos plus heureux succès sont mêlés de tristesse,
Toujours quelques soucis en ces événements
Troublent la pureté de nos contentements :
1015 Au milieu du bonheur mon âme en sent l'atteinte,
Je nage dans la joie et je tremble de crainte,
J'ai vu mort l'ennemi qui m'avait outragé,
Et je ne saurais voir la main qui m'a vengé,
En vain je m'y travaille[3] et d'un soin inutile
1020 Tout cassé[4] que je suis je cours toute la ville,
Ce peu que mes vieux ans m'ont laissé de vigueur

---

1. **Si j'en obtiens l'effet** : si ma plainte aboutit, et que tu meurs.
2. **Garde** : évite.
3. **M'y travaille** : m'y efforce.
4. **Cassé** : usé, fatigué par la vieillesse.

Se consomme sans fruit[1] à chercher ce vainqueur.
À toute heure, en tous lieux, dans une nuit si sombre,
Je pense l'embrasser, et n'embrasse qu'une ombre,
1025 Et mon amour, déçu par cet objet trompeur,
Se forme des soupçons qui redoublent ma peur,
Je ne découvre point de marques de sa fuite,
Je crains du Comte mort les amis et la suite[2];
Leur nombre m'épouvante et confond ma raison[3],
1030 Rodrigue ne vit plus, ou respire en prison.
Justes Cieux! me trompé-je encore à l'apparence[4],
Ou si je vois[5] enfin mon unique espérance?
C'est lui, n'en doutons plus, mes vœux sont exaucés;
Ma crainte est dissipée, et mes ennuis cessés.

❧

Scène 6

Don Diègue, Don Rodrigue

Don Diègue

1035 Rodrigue, enfin le Ciel permet que je te voie!

Don Rodrigue

Hélas!

Don Diègue

Ne mêle point de soupirs à ma joie;

---

1. **Fruit**: résultat.
2. **Suite**: escorte de serviteurs et de courtisans.
3. **Confond ma raison**: trouble mon esprit.
4. **Me trompé-je encore à l'apparence**: est-ce que, encore une fois, les apparences me trompent?
5. **Si je vois**: vois-je.

Laisse-moi prendre haleine afin de te louer[1],
Ma valeur n'a point lieu de te désavouer[2],
Tu l'as bien imitée, et ton illustre audace
1040 Fait bien revivre en toi les Héros de ma race ;
C'est d'eux que tu descends, c'est de moi que tu viens,
Ton premier coup d'épée égale tous les miens,
Et d'une belle ardeur ta jeunesse animée
Par cette grande épreuve atteint[3] ma renommée.
1045 Appui de ma vieillesse, et comble de mon heur,
Touche ces cheveux blancs à qui tu rends l'honneur,
Viens baiser cette joue et reconnais la place
Où fut jadis l'affront que ton courage efface.

DON RODRIGUE

L'honneur vous en est dû, les Cieux me sont témoins
1050 Qu'étant sorti de vous je ne pouvais pas moins[4] ;
Je me tiens trop heureux[5], et mon âme est ravie
Que mon coup d'essai plaise à qui je dois la vie.
Mais parmi vos plaisirs ne soyez point jaloux
Si j'ose satisfaire à moi-même après vous[6] ;
1055 Souffrez qu'en liberté mon désespoir éclate,
Assez et trop longtemps votre discours le flatte,
Je ne me repens point de vous avoir servi,
Mais rendez-moi le bien que ce coup m'a ravi,
Mon bras pour vous venger armé contre ma flamme
1060 Par ce coup glorieux m'a privé de mon âme,
Ne me dites plus rien, pour vous j'ai tout perdu.
Ce que je vous devais, je vous l'ai bien rendu.

---

1. **Te louer** : célébrer ton mérite, te dire mon admiration.
2. **Te désavouer** : ne pas te reconnaître comme mon fils, te juger indigne de moi.
3. **Atteint** : égale.
4. **Je ne pouvais pas moins** : je ne pouvais pas accomplir moins.
5. **Me tiens trop heureux** : m'en considère comme très heureux.
6. **Satisfaire à moi-même après vous** : me rendre justice à moi, après vous avoir rendu justice à vous.

DON DIÈGUE

Porte encore plus haut le fruit de ta victoire.
Je t'ai donné la vie, et tu me rends ma gloire,
1065   Et d'autant que l'honneur m'est plus cher que le jour,
D'autant plus maintenant je te dois de retour[1].
Mais d'un si brave cœur éloigne ces faiblesses,
Nous n'avons qu'un honneur, il est tant de maîtresses ;
L'amour n'est qu'un plaisir, et l'honneur un devoir.

DON RODRIGUE

1070   Ah ! que me dites-vous ?

DON DIÈGUE

Ce que tu dois savoir.

DON RODRIGUE

Mon honneur offensé sur moi-même se venge,
Et vous m'osez pousser à la honte du change[2] !
L'infamie est pareille et suit également
Le guerrier sans courage et le perfide[3] amant.
1075   À ma fidélité ne faites point d'injure,
Souffrez-moi généreux sans me rendre parjure[4],
Mes liens sont trop forts pour être ainsi rompus,
Ma foi m'engage encor si[5] je n'espère plus,
Et ne pouvant quitter ni posséder Chimène,
1080   Le trépas que je cherche est ma plus douce peine.

---

1. De retour : en retour. En tant que fils, Rodrigue doit la vie à Don Diègue, mais comme Don Diègue considère que la vie est plus précieuse que l'honneur, il s'estime redevable envers le jeune homme.
2. La honte du change : une honteuse infidélité.
3. Perfide : infidèle.
4. Me rendre parjure : me faire trahir mes promesses, notamment la fidélité que je dois à la femme que j'aime.
5. Si : même si.

DON DIÈGUE

Il n'est pas temps encor de chercher le trépas,
Ton Prince et ton pays ont besoin de ton bras.
La flotte qu'on craignait dans ce grand fleuve entrée
Vient surprendre la ville et piller la contrée,
1085   Les Mores vont descendre et le flux[1] et la nuit
Dans une heure à nos murs les amène sans bruit,
La Cour est en désordre et le peuple en alarmes,
On n'entend que des cris, on ne voit que des larmes :
Dans ce malheur public[2] mon bonheur a permis
1090   Que j'aie trouvé chez moi cinq cents de mes amis,
Qui sachant mon affront poussés d'un même zèle[3]
Venaient m'offrir leur vie à venger ma querelle[4].
Tu les as prévenus[5], mais leurs vaillantes mains
Se tremperont bien mieux au sang des Africains.
1095   Va marcher à leur tête où l'honneur te demande,
C'est toi que veut pour Chef leur généreuse bande :
De ces vieux ennemis va soutenir l'abord[6],
Là, si tu veux mourir, trouve une belle mort,
Prends-en l'occasion puisqu'elle t'est offerte,
1100   Fais devoir à ton Roi son salut à ta perte.
Mais reviens-en plutôt les palmes[7] sur le front,
Ne borne pas ta gloire à venger un affront,
Pousse-la plus avant, force par ta vaillance
La justice au pardon et Chimène au silence ;
1105   Si tu l'aimes, apprends que retourner vainqueur
C'est l'unique moyen de regagner son cœur.

---

1. **Flux** : marée montante.
2. **Public** : qui touche tout le peuple.
3. **Zèle** : élan d'amitié, empressement.
4. **À venger ma querelle** : pour défendre ma cause.
5. **Prévenus** : ici, devancés.
6. **Vieux ennemis** : ennemis héréditaires ; **soutenir l'abord** : repousser l'attaque.
7. **Palmes** : feuilles du palmier, symboles de la victoire dans l'Antiquité.

Mais le temps est trop cher pour le perdre en paroles,
Je t'arrête en discours[1] et je veux que tu voles,
Viens, suis-moi, va combattre, et montrer à ton Roi
1110   Que ce qu'il perd au Comte il le recouvre[2] en toi.

---

1. **Je t'arrête en discours** : je te retarde par mes paroles.
2. **Recouvre** : retrouve.

Pour comprendre l'essentiel

Une esthétique du choc et de la surprise

1 Rodrigue et le Comte se rencontrent à la scène 2 de l'acte II, mais l'issue du duel qui va suivre n'est connue qu'à la scène 6. Dans les scènes 3, 4 et 5, repérez les multiples hypothèses que font les autres personnages sur la façon d'empêcher le duel ou sur son vainqueur, et montrez que ces fausses pistes créent une tension dramatique.

2 Alors que les personnages semblent dans une impasse, l'attaque surprise des Mores, à l'acte III, fait rebondir l'action. Montrez comment les deux mentions des Mores (acte II, scène 6 et acte III, scène 6) mettent en valeur la gravité de cette attaque pour le royaume.

3 La scène 4 de l'acte III a été jugée particulièrement choquante par certains contemporains de Corneille. Précisez quelle règle du théâtre classique elle enfreint, en justifiant votre propos, et expliquez comment cet irrespect renforce la portée tragique du face-à-face entre les amants.

Des duels verbaux au duo amoureux

4 Le début de l'acte II est consacré au duel entre Rodrigue et le Comte. Dans les scènes 1 et 2, identifiez les procédés par lesquels Corneille incite le public à prendre parti pour Rodrigue.

5 La scène 7 de l'acte II prend la forme d'un procès opposant Chimène et Don Diègue. Montrez que leurs deux plaidoiries sont aussi convaincantes l'une que l'autre, en identifiant leurs arguments et les procédés par lesquels ils tentent d'émouvoir le Roi.

6 La scène 4 de l'acte III est un affrontement verbal entre Rodrigue, qui veut mourir, et Chimène, qui refuse de le tuer. Analysez la répartition de la parole entre les personnages. Dégagez ensuite la structure de la scène pour voir comment le dialogue se change en duo amoureux.

Les tourments de Chimène

7 Dans la scène 3 de l'acte II, Chimène exprime un premier dilemme : elle ne se résout pas à voir son amant humilié. Montrez qu'elle s'appuie sur un code d'honneur similaire à celui de Rodrigue.

8 La mort de son père élève la jeune femme au rang d'héroïne tragique. Étudiez comment le pathétique de sa situation lui confère une grandeur égale à celle de Rodrigue.

9 À la scène 3 de l'acte III, Chimène avoue qu'elle est encore amoureuse du jeune homme. Dans les vers 803-834, analysez les formes que prend le conflit intérieur de la jeune femme.

✔ *Rappelez-vous !*

• Le genre de la tragi-comédie est caractérisé par de nombreux **rebondissements romanesques**. *Le Cid* multiplie les scènes surprenantes et à fort enjeu dramatique, culminant par l'attaque des Mores à la fin de l'acte III.

• Les actes II et III sont le lieu de nombreux **affrontements verbaux**, sous la forme d'échanges brefs et rythmés (duel du Comte et de Rodrigue, v. 339-405) ou de tirades argumentatives (scène du procès, v. 665-742). Les personnages font preuve de leur **maîtrise de la rhétorique**, art de l'éloquence venu de l'Antiquité, notamment du discours judiciaire, qui vise à accuser ou défendre.

Vers l'oral du Bac

Analyse de la scène 4 de l'acte III, v. 879-942, p. 71-74

➜ *Étudier le couple héroïque
formé par Rodrigue et Chimène*

🎤 *Conseils pour la lecture à voix haute*

– Le texte est constitué de deux tirades argumentatives : lisez-les avec
une voix claire et posée pour faire ressortir la cohérence du discours
et les arguments avancés.

– Repérez les passages où les personnages laissent deviner leur passion,
et adoptez un ton adapté à leurs sentiments.

📝 *Analyse du texte*

■ *Introduction rédigée*

C'est au cœur de la pièce, dans sa scène la plus longue, que Corneille
place le premier dialogue entre les amants. Pour la première fois, les deux
jeunes gens se retrouvent seuls, non pas en tant qu'amants, mais comme
fille d'une victime et meurtrier d'un père. Ils sont alors soumis à un code
d'honneur qui interdit, en principe, leur amour, et auquel chacun
d'entre eux est prêt à sacrifier sa passion, héroïquement. On peut donc
se demander comment les deux amants révèlent un même héroïsme.
Après avoir montré que leurs tirades les présentent comme des égaux,
nous étudierons ensuite le sens de l'honneur qu'ils partagent. Cependant,
comme nous l'examinerons dans une dernière partie, loin de mépriser
l'amour pour respecter l'honneur, Rodrigue et Chimène agissent au nom
même de leur passion.

▪ *Analyse guidée*

I. Deux amants à la mesure l'un de l'autre

a. Tout au long de la scène 4, les deux amants prononcent chacun un nombre de mots à peu près égal. Étudiez la répartition de la parole entre eux dans ces vers, et comparez la structure argumentative de leurs deux tirades.

b. Chacun d'eux en vient même à reprendre les mots de l'autre. Analysez la reprise des vers 881-882 aux vers 937-938, puis montrez que Chimène fait un parallèle entre sa situation et celle de Rodrigue.

c. Chimène et Rodrigue font toujours allusion l'un à l'autre. Prouvez-le en étudiant le jeu des pronoms dans leurs deux tirades.

II. Des valeurs partagées

a. Chacun des deux amants revient sur ses actes passés et les explique. En relevant le champ lexical de l'honneur, examinez la façon dont Rodrigue et Chimène l'utilisent pour justifier leurs actions.

b. Rodrigue et Chimène se comprennent parce qu'ils se réfèrent tous deux au même code d'honneur. Montrez qu'ils partagent des valeurs qui les dépassent, en vous appuyant sur les propos généralisants qui parsèment leur discours.

c. Tous deux savent clairement ce que leur a fait sacrifier la querelle de leurs pères. Expliquez comment ils insistent sur leurs regrets, en analysant les hypothèses au conditionnel et à l'imparfait qu'ils formulent.

III. Un héroïsme amoureux

a. Rodrigue justifie sa vengeance par son sens de l'honneur, mais il affirme surtout avoir agi pour être à la hauteur de Chimène. Analysez la manière dont il rappelle son dilemme passé et sa résolution (v. 889-906).

b. Le jeune homme souhaite toujours suivre la loi de l'amour et offre sa vie à Chimène. Dans la tirade de Rodrigue, repérez les vers où il lui demande de le mettre à mort et commentez leur place, puis étudiez les arguments qu'il emploie pour la convaincre.

c. Chimène veut tout autant être digne de l'amour de Rodrigue. En vous appuyant sur les parallélismes et jeux d'échos présents dans sa tirade, montrez qu'elle reprend à son compte l'idée de Rodrigue selon laquelle l'amour obéit aussi à un code d'honneur.

■ *Conclusion rédigée*

Comme le montre cette scène centrale de l'acte III et de la pièce, Corneille présente dans cette pièce deux amants aussi héroïques l'un que l'autre. Au sens de l'honneur de Rodrigue répond celui de Chimène, capable de sacrifier au devoir son bonheur, mais pas sa passion. En effet, l'attitude de Rodrigue et celle de Chimène ne sont en rien négation de l'amour, mais bien un autre honneur rendu à l'amour. C'est parce que tous deux s'aiment qu'ils rivalisent d'honneur pour être à la hauteur l'un de l'autre. Rodrigue et Chimène deviennent ainsi des modèles d'un héroïsme passionné et sacrificiel. Toute la beauté de leur dialogue, qui a scandalisé les adversaires de Corneille et fait frémir le public de 1637, vient de l'intensité de leur échange, qui voit évoluer l'expression de cet amour sacrifié de la tirade argumentative au duo lyrique.

🗪 Les trois questions de l'examinateur

Question 1. [Lecture d'images] Dans la longue scène 4 de l'acte III, le dialogue entre les deux amants évolue, passant de la tirade argumentative au duo fusionnel. Associez à chaque partie du dialogue une des quatre images reproduites dans les pages II et III du cahier photos, et justifiez votre choix.

Question 2. Dans ce passage, les deux personnages prononcent chacun une tirade argumentative. À quels autres moments de la pièce voit-on des personnages faire preuve de leur maîtrise de la rhétorique ?

Question 3. Connaissez-vous d'autres couples littéraires célèbres vivant une histoire d'amour impossible ?

ACTE IV

❧

Scène 1
CHIMÈNE, ELVIRE

CHIMÈNE

N'est-ce point un faux bruit? le sais-tu bien, Elvire?

ELVIRE

Vous ne croiriez jamais comme chacun l'admire,
Et porte jusqu'au Ciel d'une commune voix
De ce jeune Héros les glorieux exploits.
Les Mores devant lui n'ont paru qu'à[1] leur honte,
Leur abord fut bien prompt, leur fuite encor plus prompte,
Trois heures de combat laissent à nos guerriers
Une victoire entière et deux Rois prisonniers;
La valeur de leur chef ne trouvait point d'obstacles.

CHIMÈNE

Et la main de Rodrigue a fait tous ces miracles!

ELVIRE

De ses nobles efforts ces deux Rois sont le prix,
Sa main les a vaincus et sa main les a pris.

---

1. **Qu'à**: que pour.

CHIMÈNE

De qui peux-tu savoir ces nouvelles étranges ?

ELVIRE

Du peuple qui partout fait sonner[1] ses louanges,
1125 Le nomme de sa joie, et l'objet, et l'auteur,
Son Ange tutélaire[2], et son libérateur.

CHIMÈNE

Et le Roi, de quel œil voit-il tant de vaillance ?

ELVIRE

Rodrigue n'ose encor paraître en sa présence,
Mais Don Diègue ravi lui présente enchaînés
1130 Au nom de ce vainqueur ces captifs couronnés[3],
Et demande pour grâce à ce généreux Prince
Qu'il daigne voir la main qui sauve sa Province.

CHIMÈNE

Mais n'est-il point blessé ?

ELVIRE

                              Je n'en ai rien appris.
Vous changez de couleur, reprenez vos esprits.

CHIMÈNE

1135 Reprenons donc aussi ma colère affaiblie.
Pour avoir soin de lui[4] faut-il que je m'oublie ?
On le vante, on le loue et mon cœur y consent !
Mon honneur est muet, mon devoir impuissant !
Silence mon amour, laisse agir ma colère,
1140 S'il a vaincu deux Rois, il a tué mon père,

---

1. **Sonner** : résonner.
2. **Tutélaire** : protecteur.
3. **Captifs couronnés** : rois faits prisonniers.
4. **Pour avoir soin de lui** : parce que je me soucie de lui.

Ces tristes vêtements où je lis mon malheur[1]
Sont les premiers effets qu'ait produits sa valeur,
Et combien que[2] pour lui tout un peuple s'anime,
Ici tous les objets me parlent de son crime.
1145 Vous qui rendez la force à mes ressentiments,
Voile, crêpes, habits, lugubres[3] ornements,
Pompe[4] où m'ensevelit sa première victoire,
Contre ma passion soutenez bien ma gloire
Et lorsque mon amour prendra trop de pouvoir,
1150 Parlez à mon esprit de mon triste devoir,
Attaquez sans rien craindre une main triomphante.

ELVIRE

Modérez ces transports, voici venir l'Infante.

❧

Scène 2
L'INFANTE, CHIMÈNE, LÉONOR, ELVIRE

L'INFANTE

Je ne viens pas ici consoler tes douleurs,
Je viens plutôt mêler mes soupirs à tes pleurs.

CHIMÈNE

1155 Prenez bien plutôt part à la commune joie,
Et goûtez le bonheur que le Ciel vous envoie :

---

1. Ces tristes vêtements où je lis mon malheur : mes habits de deuil.
2. Combien que : peu importe à quel point.
3. Crêpes : vêtements de deuil, cousus dans un tissu fin et noir nommé « crêpe » ;
lugubres : funèbres.
4. Pompe : ici, ensemble des marques de deuil accompagnant l'enterrement
somptueux du Comte.

Madame, autre que moi[1] n'a droit de soupirer,
Le péril dont Rodrigue a su vous retirer,
Et le salut public[2] que vous rendent ses armes
1160 À moi seule aujourd'hui permet encor les larmes ;
Il a sauvé la ville, il a servi son Roi,
Et son bras valeureux n'est funeste qu'à moi.

L'INFANTE

Ma Chimène, il est vrai qu'il a fait des merveilles.

CHIMÈNE

Déjà ce bruit fâcheux a frappé mes oreilles,
1165 Et je l'entends partout publier hautement[3]
Aussi brave guerrier que malheureux amant.

L'INFANTE

Qu'a de fâcheux pour toi ce discours populaire ?
Ce jeune Mars[4] qu'il loue a su jadis te plaire,
Il possédait ton âme, il vivait sous tes lois,
1170 Et vanter sa valeur c'est honorer ton choix.

CHIMÈNE

J'accorde que chacun la vante avec justice,
Mais pour moi sa louange est un nouveau supplice,
On aigrit[5] ma douleur en l'élevant si haut,
Je vois ce que je perds, quand je vois ce qu'il vaut.
1175 Ah cruels déplaisirs à l'esprit d'une amante !
Plus j'apprends son mérite et plus mon feu s'augmente,
Cependant mon devoir est toujours le plus fort
Et malgré mon amour va poursuivre sa mort.

---

1. **Autre que moi** : nul autre que moi.
2. **Salut public** : défense du peuple, sauvetage de l'État.
3. **Je l'entends partout publier hautement** : j'entends tout le monde le déclarer publiquement.
4. **Mars** : ici, héros, guerrier parfait (voir note 6, p. 20).
5. **Aigrit** : rend plus vive.

L'Infante

Hier ce devoir te mit en une haute estime[1],
1180 L'effort que tu te fis[2] parut si magnanime,
Si digne d'un grand cœur, que chacun à la Cour
Admirait ton courage et plaignait ton amour.
Mais croirais-tu l'avis d'une amitié fidèle?

Chimène

Ne vous obéir pas me rendrait criminelle.

L'Infante

1185 Ce qui fut bon alors ne l'est plus aujourd'hui.
Rodrigue maintenant est notre unique appui,
L'espérance et l'amour d'un peuple qui l'adore,
Le soutien de Castille et la terreur du More,
Ses faits nous ont rendu ce qu'ils nous ont ôté[3],
1190 Et ton père en lui seul se voit ressuscité,
Et si tu veux enfin qu'en deux mots je m'explique,
Tu poursuis en sa mort la ruine publique[4],
Quoi? pour venger un père est-il jamais permis
De livrer sa patrie aux mains des ennemis?
1195 Contre nous ta poursuite[5] est-elle légitime?
Et pour être punis avons-nous part au crime?
Ce n'est pas qu'après tout tu doives épouser
Celui qu'un père mort t'obligeait d'accuser,
Je te voudrais moi-même en arracher l'envie;
1200 Ôte-lui ton amour, mais laisse-nous sa vie.

---

1. **Te mit en une haute estime**: a poussé tout le monde à te vouer un très grand respect.
2. **Te fis**: fis sur toi.
3. **Faits**: hauts faits, exploits; **ce qu'ils nous ont ôté**: l'excellent guerrier qu'était le Comte, mort de la main de Rodrigue.
4. **Ruine publique**: destruction du royaume.
5. **Contre nous ta poursuite**: la poursuite que tu exerces contre nous.

CHIMÈNE

Ah ! Madame, souffrez qu'avecque liberté
Je pousse jusqu'au bout ma générosité.
Quoique mon cœur pour lui contre moi s'intéresse[1],
Quoiqu'un peuple l'adore, et qu'un Roi le caresse[2],
1205 Qu'il soit environné des plus vaillants guerriers,
J'irai sous mes Cyprès[3] accabler ses lauriers.

L'INFANTE

C'est générosité, quand pour venger un père
Notre devoir attaque une tête si chère :
Mais c'en est une encor d'un plus illustre rang,
1210 Quand on donne au public les intérêts du sang[4].
Non, crois-moi, c'est assez que d'éteindre ta flamme,
Il sera trop puni s'il n'est plus dans ton âme ;
Que le bien du pays t'impose cette loi ;
Aussi bien[5], que crois-tu que t'accorde le Roi ?

CHIMÈNE

1215 Il peut me refuser, mais je ne me puis taire.

L'INFANTE

Pense bien, ma Chimène, à ce que tu veux faire.
Adieu, tu pourras seule y songer à loisir.

CHIMÈNE

Après mon père mort je n'ai point à choisir.

---

1. **Pour lui contre moi s'intéresse** : prenne parti pour lui, contrairement à ce que mon devoir m'impose.
2. **Le caresse** : lui donne son amitié.
3. **Cyprès** : arbres, symboles du deuil, dans l'Antiquité.
4. **Quand on donne au public les intérêts du sang** : quand on sacrifie à la cause nationale les intérêts familiaux.
5. **Aussi bien** : de plus.

Scène 3

LE ROI, DON DIÈGUE, DON ARIAS, DON RODRIGUE, DON SANCHE

LE ROI

Généreux héritier d'une illustre famille
1220 Qui fut toujours la gloire et l'appui de Castille,
Race de tant d'aïeux en valeur signalés[1]
Que l'essai de la tienne a si tôt égalés,
Pour te récompenser ma force est trop petite,
Et j'ai moins de pouvoir que tu n'as de mérite.
1225 Le pays délivré d'un si rude ennemi,
Mon sceptre dans ma main par la tienne affermi,
Et les Mores défaits[2] avant qu'en ces alarmes
J'eusse pu donner ordre à repousser leurs armes,
Ne sont point des exploits qui laissent à ton Roi
1230 Le moyen ni l'espoir de s'acquitter vers[3] toi.
Mais deux Rois, tes captifs, feront ta récompense,
Ils t'ont nommé tous deux leur Cid en ma présence,
Puisque Cid en leur langue est autant que Seigneur[4],
Je ne t'envierai[5] pas ce beau titre d'honneur.
1235 Sois désormais le Cid, qu'à ce grand nom tout cède[6],
Qu'il devienne l'effroi de Grenade et Tolède[7],
Et qu'il marque à tous ceux qui vivent sous mes lois
Et ce que tu me vaux et ce que je te dois.

---

1. **En valeur signalés** : qui se sont faits connaître par leur vaillance.
2. **Défaits** : vaincus.
3. **Vers** : envers.
4. Le terme « Cid » viendrait de l'arabe *sayyid*, qui signifie « seigneur ».
5. **T'envierai** : te jalouserai.
6. **Cède** : s'avoue vaincu.
7. Grenade et Tolède sont deux villes d'Espagne occupées, à l'époque, par les Mores.

DON RODRIGUE

Que Votre Majesté, Sire, épargne ma honte[1],
1240   D'un si faible service elle fait trop de compte,
Et me force à rougir devant un si grand Roi
De mériter si peu l'honneur que j'en reçois.
Je sais trop que je dois au bien de votre Empire
Et le sang qui m'anime et l'air que je respire,
1245   Et quand je les perdrai pour un si digne objet[2],
Je ferai seulement le devoir d'un sujet.

LE ROI

Tous ceux que ce devoir à mon service engage
Ne s'en acquittent pas avec même courage,
Et lorsque la valeur ne va point dans l'excès,
1250   Elle ne produit point de si rares succès.
Souffre donc qu'on te loue, et de cette victoire
Apprends-moi plus au long la véritable histoire.

DON RODRIGUE

Sire, vous avez su qu'en ce danger pressant
Qui jeta dans la ville un effroi si puissant,
1255   Une troupe d'amis chez mon père assemblée
Sollicita[3] mon âme encor toute troublée.
Mais, Sire, pardonnez à ma témérité,
Si j'osai l'employer sans votre autorité[4];
Le péril approchait, leur brigade[5] était prête,
1260   Et paraître à la Cour eût hasardé ma tête[6],
Qu'à défendre l'État j'aimais bien mieux donner,
Qu'aux plaintes de Chimène ainsi l'abandonner.

---

1. **Honte** : ici, modestie.
2. **Objet** : motif, raison.
3. **Sollicita** : fit appel à.
4. **Autorité** : autorisation.
5. **Brigade** : troupe.
6. **Hasardé ma tête** : mis ma vie en danger.

Le duel en scène

Don Diègue (Roger Mollien) et le Comte (Christian Blanc) dans la mise en scène de Brigitte Jaques-Wajeman, acte I, scène 4, Comédie-Française, Paris, 2006. ➡ Voir p. 150.

Le Comte (Gilles Nicoleau) et Rodrigue (Olivier Bénard) dans la mise en scène de Thomas Le Douarec, théâtre Comedia, Paris, 2009. ➡ Voir p. 150.

Chimène et Rodrigue, amants et ennemis

Rodrigue (Antoine Cegarra) et Chimène (Camille Cottin) dans la mise en scène de Bénédicte Budan, acte III, scène 4, théâtre Silvia-Monfort, Paris, 2009.

➡ Voir p. 88 et 150.

Chimène (Cilo Van De Walle) et Rodrigue (Olivier Bénard) dans la mise en scène de Thomas Le Douarec, acte III, scène 4, théâtre Comedia, Paris, 2009.

➡ Voir p. 88 et 150.

Chimène (Audrey Bonnet) et Rodrigue (Alexandre Pavloff) dans la mise en scène de Brigitte Jaques-Wajeman, acte III, scène 4, Comédie-Française, Paris, 2006.
➡ Voir p. 88 et 150.

Rodrigue (Mathieu Genet), Chimène (Raphaëlle Bouchard) et Elvire (Cathy Verney) dans *Amor ou Les Cid*, mise en scène de Bérangère Jannelle, acte III, scène 4, théâtre de l'Ouest parisien, 2007.
➡ Voir p. 88 et 150.

Le mythe du Cid  Histoire des arts

Rodrigue (Charlton Heston)
dans *Le Cid*,
film d'Anthony Mann, 1961.
➡ Voir p. 152.

Juan Cristobal, *Statue équestre du Cid*,
1955, Burgos, Espagne. ➡ Voir p. 151.

Chimène (Sonia Ganassi) et Rodrigue (Roberto Alagna) dans *Le Cid*, opéra de Massenet,
mise en scène de Charles Roubaud, opéra de Paris, 2015. ➡ Voir p. 152.

LE ROI

J'excuse ta chaleur à venger[1] ton offense,
Et l'État défendu me parle en ta défense :
1265 Crois que dorénavant Chimène a beau parler,
Je ne l'écoute plus que pour la consoler.
Mais poursuis.

DON RODRIGUE

Sous moi[2] donc cette troupe s'avance,
Et porte sur le front une mâle[3] assurance :
Nous partîmes cinq cents, mais par un prompt renfort,
1270 Nous nous vîmes trois mille en arrivant au port,
Tant à nous voir marcher en si bon équipage[4]
Les plus épouvantés reprenaient de courage.
J'en cache les deux tiers, aussitôt qu'arrivés,
Dans le fond des vaisseaux qui lors[5] furent trouvés :
1275 Le reste, dont le nombre augmentait à toute heure,
Brûlant d'impatience autour de moi demeure,
Se couche contre terre, et sans faire aucun bruit,
Passe une bonne part d'une si belle nuit.
Par mon commandement la garde[6] en fait de même,
1280 Et se tenant cachée aide à mon stratagème,
Et je feins[7] hardiment d'avoir reçu de vous
L'ordre qu'on me voit suivre, et que je donne à tous.
Cette obscure clarté qui tombe des étoiles
Enfin avec le flux nous fit voir trente voiles ;
1285 L'onde s'enflait dessous, et d'un commun effort
Les Mores, et la mer entrèrent dans le port.

---

1. **Ta chaleur à venger** : l'ardeur avec laquelle tu as vengé.
2. **Sous moi** : sous mes ordres.
3. **Mâle** : vigoureuse, énergique.
4. **En si bon équipage** : en formant une troupe si vaillante.
5. **Lors** : alors, à ce moment-là (licence poétique pour conserver le nombre de syllabes de l'alexandrin).
6. **Garde** : garde royale, postée en sentinelle dans le port.
7. **Feins** : fais semblant.

On les laisse passer, tout leur paraît tranquille,
Point de soldats au port, point aux murs de la ville,
Notre profond silence abusant[1] leurs esprits
1290 Ils n'osent plus douter de nous avoir surpris,
Ils abordent sans peur, ils ancrent, ils descendent
Et courent se livrer aux mains qui les attendent :
Nous nous levons alors et tous en même temps
Poussons jusques au Ciel mille cris éclatants,
1295 Les nôtres au signal de nos vaisseaux répondent,
Ils paraissent armés, les Mores se confondent[2],
L'épouvante les prend à demi descendus,
Avant que[3] de combattre ils s'estiment perdus,
Ils couraient au pillage, et rencontrent la guerre,
1300 Nous les pressons sur l'eau, nous les pressons sur terre
Et nous faisons courir des ruisseaux de leur sang
Avant qu'aucun résiste, ou reprenne son rang[4].
Mais bientôt malgré nous leurs Princes les rallient[5],
Leur courage renaît, et leurs terreurs s'oublient,
1305 La honte de mourir sans avoir combattu
Rétablit leur désordre[6], et leur rend leur vertu :
Contre nous de pied ferme ils tirent les épées,
Des plus braves soldats les trames sont coupées[7],
Et la terre, et le fleuve, et leur flotte, et le port
1310 Sont des champs de carnage où triomphe la mort.
Ô combien d'actions, combien d'exploits célèbres[8]
Furent ensevelis dans l'horreur des ténèbres,

---

1. Abusant : trompant.
2. Paraissent armés : apparaissent tout en armes ; **se confondent** : courent en tous sens, pris de panique.
3. Avant que : avant.
4. Rang : place dans la troupe.
5. Rallient : rassemblent.
6. Rétablit leur désordre : les pousse à réorganiser leur armée dispersée.
7. Les trames sont coupées : les vies sont prises (voir note 3, p. 24).
8. Célèbres : éclatants, dignes de gloire.

Où chacun seul témoin des grands coups qu'il donnait,
Ne pouvait discerner où le sort inclinait[1] !
1315 J'allais de tous côtés encourager les nôtres,
Faire avancer les uns, et soutenir les autres,
Ranger[2] ceux qui venaient, les pousser à leur tour,
Et n'en pus rien savoir jusques au point du jour.
Mais enfin sa clarté montra notre avantage[3],
1320 Le More vit sa perte et perdit le courage,
Et voyant un renfort qui nous vint secourir
Changea l'ardeur de vaincre à[4] la peur de mourir.
Ils gagnent leurs vaisseaux, ils en coupent les chables[5],
Nous laissent pour Adieux des cris épouvantables,
1325 Font retraite[6] en tumulte, et sans considérer
Si[7] leurs Rois avec eux ont pu se retirer.
Ainsi leur devoir cède à la frayeur plus forte,
Le flux les apporta, le reflux[8] les remporte,
Cependant que leurs Rois engagés parmi nous,
1330 Et quelque peu[9] des leurs tous percés de nos coups,
Disputent vaillamment et vendent[10] bien leur vie.
À se rendre moi-même en vain je les convie,
Le cimeterre[11] au poing ils ne m'écoutent pas ;
Mais voyant à leurs pieds tomber tous leurs soldats,
1335 Et que seuls désormais en vain ils se défendent,
Ils demandent le Chef, je me nomme, ils se rendent,

---

1. **Où le sort inclinait** : de quel côté penchait le sort, quel camp allait l'emporter.
2. **Ranger** : assigner un poste précis à.
3. **Notre avantage** : que notre camp était en train de gagner la bataille.
4. **À** : en.
5. **Chables** : cordes d'amarrage.
6. **Font retraite** : se retirent, fuient le champ de bataille.
7. **Considérer/ Si** : vérifier que.
8. **Reflux** : marée descendante.
9. **Quelque peu** : quelques-uns.
10. **Vendent** : défendent, font payer en tuant nos soldats.
11. **Cimeterre** : épée à lame recourbée.

Je vous les envoyai tous deux en même temps,
Et le combat cessa faute de combattants.
C'est de cette façon que pour votre service…

❧

Scène 4

LE ROI, DON DIÈGUE, DON RODRIGUE, DON ARIAS, DON ALONSE, DON SANCHE

DON ALONSE

1340 Sire, Chimène vient vous demander justice.

LE ROI

La fâcheuse nouvelle, et l'importun devoir !
Va, je ne la veux pas obliger à te voir,
Pour tous remerciements il faut que je te chasse :
Mais avant que sortir, viens que ton Roi t'embrasse.

Don Rodrigue rentre.

DON DIÈGUE

1345 Chimène le poursuit, et voudrait le sauver.

LE ROI

On m'a dit qu'elle l'aime, et je vais l'éprouver,
Contrefaites le triste[1].

❧

---

1. **Contrefaites le triste** : faites semblant d'être triste.

Scène 5

LE ROI, DON DIÈGUE, DON ARIAS, DON SANCHE,
DON ALONSE, CHIMÈNE, ELVIRE

LE ROI

Enfin soyez contente,
Chimène, le succès répond à votre attente :
Si de nos ennemis Rodrigue a le dessus,
1350 Il est mort à nos yeux des coups qu'il a reçus,
Rendez grâces au Ciel qui vous en a vengée.
Voyez comme déjà sa couleur est changée[1].

DON DIÈGUE

Mais voyez qu'elle pâme[2], et d'un amour parfait
Dans cette pâmoison, Sire, admirez l'effet,
1355 Sa douleur a trahi les secrets de son âme
Et ne vous permet plus de douter de sa flamme.

CHIMÈNE

Quoi ? Rodrigue est donc mort ?

LE ROI

Non, non, il voit le jour,
Et te conserve encore un immuable[3] amour,
Tu le posséderas, reprends ton allégresse.

CHIMÈNE

1360 Sire, on pâme de joie ainsi que de tristesse,
Un excès de plaisir nous rend tous languissants[4],
Et quand il surprend l'âme, il accable les sens.

---

1. Dans ce vers, le Roi ne s'adresse qu'à Don Diègue.
2. **Pâme** : est au bord de l'évanouissement.
3. **Immuable** : éternel.
4. **Languissants** : abattus, faibles.

LE ROI

Tu veux qu'en ta faveur nous croyions l'impossible,
Ta tristesse, Chimène, a paru trop visible.

CHIMÈNE

1365 Eh bien, Sire, ajoutez ce comble à mes malheurs,
Nommez ma pâmoison l'effet de mes douleurs,
Un juste déplaisir à ce point m'a réduite,
Son trépas dérobait sa tête à ma poursuite ;
S'il meurt des coups reçus pour le bien du pays,
1370 Ma vengeance est perdue et mes desseins trahis[1].
Une si belle fin m'est trop injurieuse[2],
Je demande sa mort, mais non pas glorieuse,
Non pas dans un éclat qui l'élève si haut,
Non pas au lit d'honneur[3], mais sur un échafaud.
1375 Qu'il meure pour mon père, et non pour la patrie,
Que son nom soit taché, sa mémoire flétrie ;
Mourir pour le pays n'est pas un triste sort,
C'est s'immortaliser[4] par une belle mort.
J'aime donc sa victoire, et je le puis sans crime,
1380 Elle assure l'État, et me rend ma victime,
Mais noble, mais fameuse entre tous les guerriers,
Le chef au lieu de fleurs[5] couronné de lauriers,
Et pour dire en un mot ce que j'en considère,
Digne d'être immolée aux Mânes[6] de mon père :
1385 Hélas ! à quel espoir me laissé-je emporter !
Rodrigue de ma part n'a rien à redouter :
Que pourraient contre lui des larmes qu'on méprise ?
Pour lui tout votre Empire est un lieu de franchise[7],

---

1. **Trahis** : ici, rendus irréalisables.
2. **Injurieuse** : blessante, injuste.
3. **Au lit d'honneur** : dans une mort noble, à la guerre.
4. **S'immortaliser** : se rendre à jamais célèbre.
5. Dans l'Antiquité, on couronnait de fleurs la victime offerte en sacrifice.
6. **Mânes** : âmes des morts, dans la religion romaine.
7. **Franchise** : liberté totale, impunité.

Là sous votre pouvoir tout lui devient permis,
1390 Il triomphe de moi, comme des ennemis,
Dans leur sang épandu la justice étouffée,
Aux crimes du vainqueur sert d'un nouveau trophée[1],
Nous en croissons la pompe et le mépris des lois[2]
Nous fait suivre son char au milieu de deux Rois.

LE ROI

1395 Ma fille, ces transports ont trop de violence.
Quand on rend la justice, on met tout en balance[3] :
On a tué ton père, il était l'agresseur,
Et la même équité[4] m'ordonne la douceur.
Avant que d'accuser ce que j'en fais paraître[5],
1400 Consulte bien ton cœur, Rodrigue en est le maître,
Et ta flamme en secret rend grâces à ton Roi
Dont la faveur conserve un tel amant pour toi.

CHIMÈNE

Pour moi mon ennemi ! l'objet de ma colère !
L'auteur de mes malheurs ! l'assassin de mon père !
1405 De ma juste poursuite on fait si peu de cas
Qu'on me croit obliger[6] en ne m'écoutant pas !
Puisque vous refusez la justice à mes larmes,
Sire, permettez-moi de recourir aux armes,
C'est par là seulement qu'il a su m'outrager,
1410 Et c'est aussi par là que je me dois venger.

---

1. **Trophée** : butin de guerre.
2. **Nous en croissons la pompe** : je viens rendre plus glorieux le vainqueur ; **le mépris des lois** : le mépris que la justice a pour moi. Chimène évoque la pratique antique du triomphe : à Rome, le général victorieux entrait dans la ville monté sur un char, suivi de ses soldats, de ses prisonniers et de son butin de guerre.
3. **Met tout en balance** : pèse pleinement le pour et le contre.
4. **La même équité** : la justice elle-même.
5. **Ce que j'en fais paraître** : la douceur que je montre.
6. **Me croit obliger** : croit agir pour mon bien.

À tous vos Chevaliers je demande sa tête[1].
Oui, qu'un d'eux me l'apporte, et je suis sa conquête[2],
Qu'ils le combattent, Sire, et le combat fini,
J'épouse le vainqueur si Rodrigue est puni.
1415 Sous votre autorité souffrez qu'on le publie[3].

Le Roi

Cette vieille coutume en ces lieux établie,
Sous couleur[4] de punir un injuste attentat,
Des meilleurs combattants affaiblit un État.
Souvent de cet abus le succès déplorable
1420 Opprime[5] l'innocent et soutient le coupable.
J'en dispense Rodrigue, il m'est trop précieux
Pour l'exposer aux coups d'un sort capricieux,
Et quoi qu'ait pu commettre un cœur si magnanime
Les Mores en fuyant ont emporté son crime.

Don Diègue

1425 Quoi, Sire ! pour lui seul vous renversez des lois
Qu'a vu toute la Cour observer tant de fois !
Que croira votre peuple et que dira l'envie
Si sous votre défense il ménage sa vie[6],
Et s'en sert d'un[7] prétexte à ne paraître pas
1430 Où[8] tous les gens d'honneur cherchent un beau trépas ?

---

1. Chimène demande un duel à tout venant, une forme archaïque de combat judiciaire qui se déroule dans un champ clos et voit se succéder les combattants face à la personne jugée.
2. Sa conquête : le prix de sa victoire.
3. Sous votre autorité souffrez qu'on le publie : acceptez qu'on le proclame publiquement, avec votre approbation.
4. Sous couleur : au prétexte.
5. Opprime : punit.
6. Si sous votre défense il ménage sa vie : s'il refuse de combattre, sous prétexte que vous refusez le duel.
7. D'un : comme un.
8. Ne paraître pas/ Où : ne pas se présenter là où.

Sire, ôtez ces faveurs qui terniraient sa gloire,
Qu'il goûte sans rougir les fruits de sa victoire,
Le Comte eut de l'audace, il l'en a su punir,
Il l'a fait en brave homme, et le doit soutenir.

LE ROI

1435 Puisque vous le voulez j'accorde qu'il le fasse,
Mais d'un guerrier vaincu mille prendraient la place,
Et le prix que Chimène au vainqueur a promis
De tous mes Chevaliers ferait ses ennemis :
L'opposer seul à tous serait trop d'injustice,
1440 Il suffit qu'une fois il entre dans la lice[1] :
Choisis qui tu voudras, Chimène, et choisis bien,
Mais après ce combat ne demande plus rien.

DON DIÈGUE

N'excusez point par là ceux que son bras étonne,
Laissez un camp[2] ouvert où n'entrera personne.
1445 Après ce que Rodrigue a fait voir aujourd'hui,
Quel courage assez vain s'oserait prendre à lui ?
Qui se hasarderait contre un tel adversaire ?
Qui serait ce vaillant, ou bien ce téméraire ?

DON SANCHE

Faites ouvrir le camp, vous voyez l'assaillant,
1450 Je suis ce téméraire, ou plutôt ce vaillant.
Accordez cette grâce à l'ardeur qui me presse,
Madame, vous savez quelle est votre promesse.

---

1. **Lice** : lieu du combat. Dans ces vers, le Roi indique qu'il n'y aura qu'un seul combat, entre Rodrigue et le champion de Chimène.
2. **Camp** : champ de bataille.

LE ROI

Chimène, remets-tu ta querelle en sa main ?

CHIMÈNE

Sire, je l'ai promis.

LE ROI

Soyez prêt à demain[1].

DON DIÈGUE

1455 Non, Sire, il ne faut pas différer davantage,
On est toujours trop prêt quand on a du courage.

LE ROI

Sortir d'une bataille et combattre à l'instant !

DON DIÈGUE

Rodrigue a pris haleine[2] en vous la racontant.

LE ROI

Du moins, une heure, ou deux, je veux qu'il se délasse.
1460 Mais de peur qu'en exemple un tel combat ne passe[3],
Pour témoigner à tous qu'à regret je permets
Un sanglant procédé[4] qui ne me plut jamais,
De moi, ni de ma Cour il n'aura la présence.

Il parle à Don Arias.

Vous seul des combattants jugerez la vaillance :
1465 Ayez soin que tous deux fassent en gens de cœur[5],
Et le combat fini m'amenez le vainqueur.

---

1. **À demain** : pour demain.
2. **Pris haleine** : repris haleine, retrouvé son souffle.
3. **Qu'en exemple un tel combat ne passe** : qu'on prenne ce combat pour exemple, qu'il devienne un précédent.
4. **Sanglant procédé** : pratique cruelle et mortelle.
5. **Fassent en gens de cœur** : respectent les codes du duel en hommes d'honneur.

Quel qu'il soit, même prix est acquis à sa peine,
Je le veux de ma main présenter à Chimène,
Et que pour récompense il reçoive sa foi[1].

CHIMÈNE

1470 Sire, c'est me donner une trop dure loi.

LE ROI

Tu t'en plains, mais ton feu loin d'avouer[2] ta plainte,
Si Rodrigue est vainqueur, l'accepte sans contrainte.
Cesse de murmurer contre un arrêt si doux :
Qui que ce soit des deux, j'en ferai ton époux.

---

1. Foi : ici, promesse de mariage.
2. Avouer : s'accorder avec, approuver.

Gérard Philipe jouant le rôle de Rodrigue dans *Le Cid* de Corneille,
mise en scène de Jean Vilar, festival d'Avignon, 1951.

ACTE V

ジん

Scène 1

DON RODRIGUE, CHIMÈNE

CHIMÈNE

1475 Quoi, Rodrigue, en plein jour ! d'où te vient cette audace ?
Va, tu me perds d'honneur, retire-toi, de grâce.

DON RODRIGUE

Je vais mourir, Madame, et vous viens en ce lieu,
Avant le coup mortel, dire un dernier Adieu,
Mon amour vous le doit, et mon cœur qui soupire
1480 N'ose sans votre aveu sortir de votre Empire[1].

CHIMÈNE

Tu vas mourir !

DON RODRIGUE

J'y cours, et le Comte est vengé,
Aussitôt que de vous j'en aurai le congé[2].

---

1. **Aveu** : accord ; **Empire** : pouvoir.
2. **Congé** : permission.

CHIMÈNE

Tu vas mourir ! Don Sanche est-il si redoutable,
Qu'il donne l'épouvante à ce cœur indomptable ?
1485 Qui t'a rendu si faible, ou qui le rend si fort ?
Rodrigue va combattre, et se croit déjà mort !
Celui qui n'a pas craint les Mores, ni mon père,
Va combattre Don Sanche et déjà désespère !
Ainsi donc au besoin[1] ton courage s'abat ?

DON RODRIGUE

1490 Je cours à mon supplice, et non pas au combat,
Et ma fidèle ardeur sait bien m'ôter l'envie,
Quand vous cherchez ma mort, de défendre ma vie.
J'ai toujours même cœur, mais je n'ai point de bras
Quand il faut conserver ce qui ne vous plaît pas,
1495 Et déjà cette nuit m'aurait été mortelle
Si j'eusse combattu pour ma seule querelle :
Mais défendant mon Roi, son peuple, et le pays,
À me défendre mal[2] je les aurais trahis,
Mon esprit généreux ne hait pas tant la vie
1500 Qu'il en veuille sortir par une perfidie.
Maintenant qu'il s'agit de mon seul intérêt,
Vous demandez ma mort, j'en accepte l'arrêt ;
Votre ressentiment choisit la main d'un autre,
Je ne méritais pas de mourir de la vôtre ;
1505 On ne me verra point en repousser les coups,
Je dois plus de respect à qui combat pour vous,
Et ravi de penser que c'est de vous qu'ils viennent,
Puisque c'est votre honneur que ses armes soutiennent,
Je lui vais présenter mon estomac ouvert[3],
1510 Adorant en sa main la vôtre qui me perd.

----

1. **Au besoin** : quand le besoin s'en fait sentir.
2. **À me défendre mal** : si je m'étais mal défendu.
3. **Mon estomac ouvert** : ma poitrine découverte (lexique du duel).

CHIMÈNE

Si d'un triste devoir la juste violence,
Qui me fait malgré moi poursuivre ta vaillance,
Prescrit à ton amour une si forte loi
Qu'il te rend sans défense à[1] qui combat pour moi,
1515 En cet aveuglement ne perds pas la mémoire,
Qu'ainsi que de ta vie, il y va de ta gloire,
Et que dans quelque éclat que Rodrigue ait vécu
Quand on le saura mort, on le croira vaincu.
L'honneur te fut plus cher que je ne te suis chère,
1520 Puisqu'il trempa tes mains dans le sang de mon père,
Et te fit renoncer malgré ta passion,
À l'espoir le plus doux de ma possession[2] :
Je t'en vois cependant faire si peu de compte
Que sans rendre combat tu veux qu'on te surmonte[3].
1525 Quelle inégalité ravale ta vertu[4] ?
Pourquoi ne l'as-tu plus, ou pourquoi l'avais-tu ?
Quoi ? n'es-tu généreux que pour me faire outrage ?
S'il ne faut m'offenser n'as-tu point de courage ?
Et traites-tu mon père avec tant de rigueur
1530 Qu'après l'avoir vaincu tu souffres un vainqueur ?
Non, sans vouloir mourir, laisse-moi te poursuivre,
Et défends ton honneur si tu ne veux plus vivre.

DON RODRIGUE

Après la mort du Comte, et les Mores défaits,
Mon honneur appuyé sur de si grands effets[5]
1535 Contre un autre ennemi n'a plus à se défendre :
On sait que mon courage ose tout entreprendre,

---

1. À : contre.
2. À l'espoir le plus doux de ma possession : à ton espoir le plus doux, celui de me posséder pour femme.
3. Surmonte : vainque.
4. Quelle inégalité ravale ta vertu : quel caprice diminue ta vaillance.
5. Effets : ici, preuves.

Que ma valeur peut tout, et que dessous les Cieux[1],
Quand mon honneur y va, rien ne m'est précieux.
Non, non, en ce combat, quoi que vous veuilliez[2] croire,
1540 Rodrigue peut mourir sans hasarder sa gloire,
Sans qu'on l'ose accuser d'avoir manqué de cœur,
Sans passer pour vaincu, sans souffrir un vainqueur.
On dira seulement : « Il adorait Chimène,
Il n'a pas voulu vivre et mériter sa haine,
1545 Il a cédé lui-même à la rigueur du sort
Qui forçait sa maîtresse à poursuivre sa mort,
Elle voulait sa tête, et son cœur magnanime
S'il l'en eût refusée[3] eût pensé faire un crime :
Pour venger son honneur il perdit son amour,
1550 Pour venger sa maîtresse il a quitté le jour,
Préférant (quelque espoir qu'eût son âme asservie[4])
Son honneur à Chimène, et Chimène à sa vie. »
Ainsi donc vous verrez ma mort en ce combat
Loin d'obscurcir ma gloire en rehausser l'éclat,
1555 Et cet honneur suivra mon trépas volontaire,
Que tout autre que moi n'eût pu vous satisfaire[5].

CHIMÈNE

Puisque pour t'empêcher de courir au trépas
Ta vie et ton honneur sont de faibles appas,
Si jamais je t'aimai, cher Rodrigue, en revanche[6],
1560 Défends-toi maintenant pour m'ôter à Don Sanche,

---

1. **Dessous les Cieux** : sur terre.
2. **Veuilliez** : vouliez.
3. **S'il l'en eût refusée** : s'il lui avait refusé sa tête.
4. **Quelque espoir qu'eût son âme asservie** : bien que son âme, captive de son amour pour Chimène, eût conçu d'autres espoirs.
5. **Et cet honneur suivra […] n'eût pu vous satisfaire** : après ma mort volontaire, on m'honorera en disant que nul autre que moi n'aurait pu vous venger.
6. **En revanche** : en retour, pour me payer de retour.

Combats pour m'affranchir[1] d'une condition
Qui me livre à l'objet de mon aversion[2].
Te dirai-je encor plus ? va, songe à ta défense,
Pour forcer mon devoir, pour m'imposer silence,
1565 Et si jamais l'amour échauffa tes esprits,
Sors vainqueur d'un combat dont Chimène est le prix.
Adieu, ce mot lâché[3] me fait rougir de honte.

DON RODRIGUE, *seul.*

Est-il quelque ennemi qu'à présent je ne dompte ?
Paraissez, Navarrais, Mores, et Castillans[4],
1570 Et tout ce que l'Espagne a nourri de vaillants,
Unissez-vous ensemble, et faites une armée
Pour combattre une main de la sorte animée,
Joignez tous vos efforts contre un espoir si doux,
Pour en venir à bout, c'est trop peu que de vous.

Scène 2

L'INFANTE

1575 T'écouterai-je encor, respect de ma naissance[5],
     Qui fais un crime de mes feux ?
T'écouterai-je, Amour, dont la douce puissance
Contre ce fier tyran[6] fait rebeller mes vœux ?
     Pauvre Princesse, auquel des deux

1. **M'affranchir** : me libérer.
2. **Aversion** : haine.
3. **Lâché** : que j'ai laissé échapper.
4. Rodrigue se dit prêt à combattre non seulement les Mores, mais aussi les chrétiens de Navarre ou de Castille qui viendraient défendre la cause de Chimène.
5. **Respect de ma naissance** : respect que je dois à mon rang de princesse.
6. **Fier tyran** : gloire hautaine et tyrannique.

1580   Dois-tu prêter obéissance ?
Rodrigue, ta valeur te rend digne de moi,
Mais pour être vaillant tu n'es pas fils de Roi.

Impitoyable sort, dont la rigueur sépare
          Ma gloire d'avec mes désirs,
1585 Est-il dit que le choix d'une vertu si rare
Coûte à ma passion de si grands déplaisirs ?
          Ô Cieux ! à combien de soupirs
          Faut-il que mon cœur se prépare,
S'il ne peut obtenir dessus[1] mon sentiment
1590 Ni d'éteindre l'amour, ni d'accepter l'amant ?

Mais ma honte m'abuse, et ma raison s'étonne
          Du mépris d'un si digne choix :
Bien qu'aux Monarques seuls ma naissance me donne,
Rodrigue, avec honneur je vivrai sous tes lois.
1595   Après avoir vaincu deux Rois
          Pourrais-tu manquer de couronne ?
Et ce grand nom de Cid que tu viens de gagner
Marque-t-il pas déjà sur qui tu dois régner ?

Il est digne de moi, mais il est à Chimène,
1600   Le don que j'en ai fait me nuit,
Entre eux un père mort sème si peu de haine
Que le devoir du sang[2] à regret le poursuit.
          Ainsi n'espérons aucun fruit
          De son crime, ni de ma peine,
1605 Puisque pour me punir le destin a permis
Que l'amour dure même entre deux ennemis.

❦

---

1. **Dessus** : en ayant le dessus sur.
2. **Devoir du sang** : devoir filial, qui pousse Chimène à venger son père.

Scène 3

L'INFANTE, LÉONOR

L'INFANTE

Où viens-tu, Léonor?

LÉONOR

Vous témoigner, Madame,
L'aise[1] que je ressens du repos de votre âme.

L'INFANTE

D'où viendrait ce repos dans un comble d'ennui?

LÉONOR

1610 Si l'amour vit d'espoir, et s'il meurt avec lui,
Rodrigue ne peut plus charmer votre courage,
Vous savez le combat où Chimène l'engage,
Puisqu'il faut qu'il y meure, ou qu'il soit son mari,
Votre espérance est morte, et votre esprit guéri.

L'INFANTE

1615 Ô, qu'il s'en faut encor[2]!

LÉONOR

Que pouvez-vous prétendre[3]?

L'INFANTE

Mais plutôt quel espoir me pourrais-tu défendre?
Si Rodrigue combat sous ces conditions,
Pour en rompre l'effet[4] j'ai trop d'inventions,

---

1. **Aise**: contentement.
2. **Qu'il s'en faut encor**: comme nous en sommes loin.
3. **Prétendre**: espérer, souhaiter.
4. **Pour en rompre l'effet**: pour qu'il n'ait pas lieu.

L'amour, ce doux auteur de mes cruels supplices,
1620 Aux esprits des amants apprend trop d'artifices[1].

LÉONOR

Pourrez-vous quelque chose après qu'un père mort
N'a pu dans leurs esprits allumer de discord?
Car Chimène aisément montre par sa conduite
Que la haine aujourd'hui ne fait pas[2] sa poursuite:
1625 Elle obtient un combat, et pour son combattant,
C'est le premier offert[3] qu'elle accepte à l'instant:
Elle ne choisit point de ces mains généreuses
Que tant d'exploits fameux rendent si glorieuses,
Don Sanche lui suffit, c'est la première fois
1630 Que ce jeune Seigneur endosse le harnois.
Elle aime en ce duel son peu d'expérience,
Comme il est sans renom, elle est sans défiance[4],
Un tel choix, et si prompt, vous doit bien faire voir
Qu'elle cherche un combat qui force son devoir,
1635 Et livrant à Rodrigue une victoire aisée,
Puisse l'autoriser à paraître apaisée.

L'INFANTE

Je le remarque assez, et toutefois mon cœur
À l'envi de Chimène adore ce vainqueur.
À quoi me résoudrai-je, amante infortunée?

LÉONOR

1640 À vous ressouvenir de qui vous êtes née,
Le Ciel vous doit un Roi, vous aimez un sujet.

---

1. **Artifices**: ruses.
2. **Ne fait pas**: n'est pas ce qui cause.
3. **Le premier offert**: le premier venu.
4. **Défiance**: crainte.

L'INFANTE

Mon inclination a bien changé d'objet.
Je n'aime plus Rodrigue, un simple Gentilhomme,
Une ardeur bien plus digne à présent me consomme ;
1645 Si j'aime, c'est l'auteur de tant de beaux exploits,
C'est le valeureux Cid, le maître de deux Rois,
Je me vaincrai pourtant, non de peur d'aucun blâme,
Mais pour ne troubler pas une si belle flamme,
Et quand pour m'obliger[1] on l'aurait couronné,
1650 Je ne veux point reprendre un bien que j'ai donné.
Puisqu'en un tel combat sa victoire est certaine
Allons encore un coup le donner à Chimène,
Et toi qui vois les traits[2] dont mon cœur est percé,
Viens me voir achever comme j'ai commencé.

❧

Scène 4

CHIMÈNE, ELVIRE

CHIMÈNE

1655 Elvire, que je souffre, et que je suis à plaindre !
Je ne sais qu'espérer, et je vois tout à craindre,
Aucun vœu ne m'échappe où j'ose consentir[3],
Et mes plus doux souhaits sont pleins d'un repentir.
À deux rivaux pour moi je fais prendre les armes,
1660 Le plus heureux succès me coûtera des larmes,

---

1. **Quand pour m'obliger** : ici, même si pour exaucer mes vœux.
2. **Traits** : flèches.
3. **Aucun vœu ne m'échappe où j'ose consentir** : tous les désirs que je ressens malgré moi me paraissent inacceptables.

Et quoi qu'en ma faveur en ordonne le sort,
Mon père est sans vengeance, ou mon amant est mort.

ELVIRE

D'un et d'autre côté je vous vois soulagée,
Ou vous avez Rodrigue, ou vous êtes vengée,
1665 Et quoi que le destin puisse ordonner de vous,
Il soutient votre gloire et vous donne un époux.

CHIMÈNE

Quoi ? l'objet de ma haine, ou bien de ma colère !
L'assassin de Rodrigue, ou celui de mon père !
De tous les deux côtés on me donne un mari
1670 Encor tout teint du sang que j'ai le plus chéri.
De tous les deux côtés mon âme se rebelle,
Je crains plus que la mort la fin de ma querelle ;
Allez, vengeance, amour, qui troublez mes esprits,
Vous n'avez point pour moi de douceurs à ce prix[1].
1675 Et toi, puissant moteur du destin[2] qui m'outrage,
Termine ce combat sans aucun avantage[3],
Sans faire aucun des deux, ni vaincu, ni vainqueur.

ELVIRE

Ce serait vous traiter avec trop de rigueur.
Ce combat pour votre âme est un nouveau supplice
1680 S'il vous laisse obligée à demander justice,
À témoigner toujours ce haut ressentiment,
Et poursuivre toujours la mort de votre amant.
Non, non, il vaut bien mieux que sa rare vaillance,
Lui gagnant un laurier vous impose silence,

---

1. Vous n'avez point pour moi de douceurs à ce prix : vous allez me causer trop de douleurs pour que je vous trouve agréables.
2. Puissant moteur du destin : force puissante qui dirige le destin. Chimène s'adresse ici à Dieu.
3. Sans aucun avantage : sans qu'aucun des deux l'emporte sur l'autre.

1685 Que la loi du combat étouffe vos soupirs,
Et que le Roi vous force à suivre vos désirs.

CHIMÈNE

Quand il sera vainqueur, crois-tu que je me rende?
Mon devoir est trop fort, et ma perte trop grande,
Et ce n'est pas assez pour leur faire la loi
1690 Que celle du combat et le vouloir du Roi.
Il peut vaincre Don Sanche avec fort peu de peine,
Mais non pas avec lui la gloire de Chimène,
Et quoi qu'à sa victoire un Monarque ait promis,
Mon honneur lui fera mille autres ennemis.

ELVIRE

1695 Gardez, pour vous punir de cet orgueil étrange,
Que[1] le Ciel à la fin ne souffre qu'on vous venge.
Quoi? vous voulez encor refuser le bonheur
De pouvoir maintenant vous taire avec honneur?
Que prétend ce devoir? et qu'est-ce qu'il espère?
1700 La mort de votre amant vous rendra-t-elle un père?
Est-ce trop peu pour vous que d'un coup de malheur?
Faut-il perte sur perte, et douleur sur douleur?
Allez, dans le caprice[2] où votre humeur s'obstine,
Vous ne méritez pas l'amant qu'on vous destine,
1705 Et le Ciel, ennuyé[3] de vous être si doux,
Vous lairra[4] par sa mort Don Sanche pour époux.

CHIMÈNE

Elvire, c'est assez des peines que j'endure,
Ne les redouble point par ce funeste augure[5],

---

1. **Gardez [...] / Que**: prenez garde à ce que, faites attention.
2. **Caprice**: folie.
3. **Ennuyé**: lassé, fatigué.
4. **Lairra**: laissera.
5. **Augure**: présage.

Je veux, si je le puis, les éviter tous deux,
1710 Sinon, en ce combat Rodrigue a tous mes vœux :
Non qu'une folle ardeur de son côté me penche[1],
Mais s'il était vaincu, je serais à Don Sanche,
Cette appréhension fait naître mon souhait.
Que vois-je, malheureuse ? Elvire, c'en est fait.

Scène 5
Don Sanche, Chimène, Elvire

Don Sanche

1715 Madame, à vos genoux j'apporte cette épée.

Chimène

Quoi ? du sang de Rodrigue encor toute trempée ?
Perfide, oses-tu bien te montrer à mes yeux,
Après m'avoir ôté ce que j'aimais le mieux ?
Éclate mon amour, tu n'as plus rien à craindre,
1720 Mon père est satisfait, cesse de te contraindre,
Un même coup a mis ma gloire en sûreté[2],
Mon âme au désespoir, ma flamme en liberté.

Don Sanche

D'un esprit plus rassis[3]...

Chimène

Tu me parles encore,

---

1. **De son côté me penche** : me fasse pencher pour lui.
2. **Mis ma gloire en sûreté** : protégé mon honneur.
3. **Plus rassis** : calmé, apaisé.

Exécrable[1] assassin d'un Héros que j'adore ?
1725 Va, tu l'as pris en traître, un guerrier si vaillant
N'eût jamais succombé sous un tel assaillant.

ELVIRE

Mais, Madame, écoutez.

CHIMÈNE

        Que veux-tu que j'écoute ?
Après ce que je vois puis-je être encor en doute ?
J'obtiens pour mon malheur ce que j'ai demandé,
1730 Et ma juste poursuite a trop bien succédé[2].
Pardonne, cher amant[3], à sa rigueur sanglante,
Songe que je suis fille aussi bien comme amante[4],
Si j'ai vengé mon père aux dépens de ton sang,
Du mien pour te venger j'épuiserai[5] mon flanc.
1735 Mon âme désormais n'a rien qui la retienne,
Elle ira recevoir ce pardon de la tienne.
Et toi[6] qui me prétends acquérir par sa mort,
Ministre déloyal de mon rigoureux sort[7],
N'espère rien de moi, tu ne m'as point servie,
1740 En croyant me venger tu m'as ôté la vie.

DON SANCHE

Étrange impression[8] qui, loin de m'écouter…

CHIMÈNE

Veux-tu que de sa mort je t'écoute vanter ?

---

1. **Exécrable** : détestable.
2. **Succédé** : réussi.
3. Chimène s'adresse ici à Rodrigue.
4. **Aussi bien comme amante** : autant qu'amante.
5. **Épuiserai** : viderai.
6. Chimène s'adresse ici à Don Sanche.
7. **Ministre déloyal de mon rigoureux sort** : toi, le traître qui as exécuté les ordres de mon sévère destin.
8. **Impression** : idée (que vous a donnée cette épée).

Que j'entende à loisir avec quelle insolence
Tu peindras son malheur, mon crime, et ta vaillance,
1745 Qu'à tes yeux ce récit tranche[1] mes tristes jours ?
Va, va, je mourrai bien sans ce cruel secours[2],
Abandonne mon âme au mal qui la possède,
Pour venger mon amant je ne veux point qu'on m'aide.

Scène 6

LE ROI, DON DIÈGUE, DON ARIAS, DON SANCHE,
DON ALONSE, CHIMÈNE, ELVIRE

CHIMÈNE

Sire, il n'est plus besoin de vous dissimuler
1750 Ce que tous mes efforts ne vous ont pu celer[3].
J'aimais, vous l'avez su, mais pour venger un père
J'ai bien voulu proscrire[4] une tête si chère :
Votre Majesté, Sire, elle-même a pu voir
Comme j'ai fait céder mon amour au devoir.
1755 Enfin, Rodrigue est mort, et sa mort m'a changée
D'implacable ennemie en amante affligée.
J'ai dû cette vengeance à qui m'a mise au jour,
Et je dois maintenant ces pleurs à mon amour.
Don Sanche m'a perdue en prenant ma défense,
1760 Et du bras qui me perd je suis la récompense.

---

1. **Tranche** : achève, comme la Parque coupant le fil de la vie (voir note 3, p. 24).
2. **Sans ce cruel secours** : sans que tu m'y aides par un récit aussi cruel.
3. **Celer** : cacher.
4. **Proscrire** : condamner à mort.

Sire, si la pitié peut émouvoir un Roi,
De grâce révoquez[1] une si dure loi ;
Pour prix d'une victoire où je perds ce que j'aime,
Je lui laisse mon bien, qu'il me laisse à moi-même ;
1765 Qu'en un Cloître sacré je pleure incessamment[2]
Jusqu'au dernier soupir mon père et mon amant.

DON DIÈGUE

Enfin, elle aime, Sire, et ne croit plus un crime
D'avouer par sa bouche une amour légitime[3].

LE ROI

Chimène, sors d'erreur, ton amant n'est pas mort,
1770 Et Don Sanche vaincu t'a fait un faux rapport.

DON SANCHE

Sire, un peu trop d'ardeur malgré moi l'a déçue.
Je venais du combat lui raconter l'issue.
Ce généreux guerrier dont son cœur est charmé :
« Ne crains rien (m'a-t-il dit quand il m'a désarmé),
1775 Je laisserais plutôt la victoire incertaine
Que de répandre un sang hasardé pour Chimène[4],
Mais puisque mon devoir m'appelle auprès du Roi,
Va de notre combat l'entretenir pour moi,
Offrir à ses genoux ta vie et ton épée. »
1780 Sire, j'y suis venu, cet objet l'a trompée,
Elle m'a cru vainqueur me voyant de retour,
Et soudain sa colère a trahi son amour,
Avec tant de transport, et tant d'impatience,
Que je n'ai pu gagner un moment d'audience[5].

---

1. **Révoquez** : annulez.
2. **Incessamment** : sans fin.
3. Le mot « amour » peut être féminin ou masculin au XVIIᵉ siècle.
4. **Hasardé pour Chimène** : risqué au nom de Chimène.
5. **Que je n'ai pu gagner un moment d'audience** : que je n'ai pas pu m'exprimer, même un instant.

1785 Pour moi, bien que vaincu, je me répute[1] heureux,
Et malgré l'intérêt de mon cœur amoureux,
Perdant infiniment, j'aime encor ma défaite,
Qui fait le beau succès d'une amour si parfaite.

LE ROI

Ma fille, il ne faut point rougir d'un si beau feu,
1790 Ni chercher les moyens d'en faire un désaveu[2] :
Une louable honte[3] enfin t'en sollicite,
Ta gloire est dégagée[4], et ton devoir est quitte,
Ton père est satisfait, et c'était le venger
Que mettre tant de fois ton Rodrigue en danger.
1795 Tu vois comme le Ciel autrement en dispose[5] ;
Ayant tant fait pour lui, fais pour toi quelque chose,
Et ne sois point rebelle à mon commandement
Qui te donne un époux aimé si chèrement.

Scène 7

LE ROI, DON DIÈGUE, DON ARIAS,
DON RODRIGUE, DON ALONSE, DON SANCHE,
L'INFANTE, CHIMÈNE, LÉONOR, ELVIRE

L'INFANTE

Sèche tes pleurs, Chimène, et reçois sans tristesse
1800 Ce généreux vainqueur des mains de ta Princesse.

---

1. **Répute** : considère comme.
2. **En faire un désaveu** : le nier.
3. **Louable honte** : pudeur admirable.
4. **Est dégagée** : n'est plus en jeu.
5. **Dispose** : décide.

Don Rodrigue

Ne vous offensez point, Sire, si devant vous
Un respect amoureux me jette à ses genoux.
Je ne viens point ici demander ma conquête[1] ;
Je viens tout de nouveau vous apporter ma tête ;
1805 Madame, mon amour n'emploiera point pour moi
Ni la loi du combat, ni le vouloir du Roi.
Si tout ce qui s'est fait est trop peu pour un père,
Dites par quels moyens il vous faut satisfaire.
Faut-il combattre encor mille et mille rivaux,
1810 Aux deux bouts de la terre étendre mes travaux,
Forcer moi seul un camp[2], mettre en fuite une armée,
Des Héros fabuleux passer[3] la renommée ?
Si mon crime par là se peut enfin laver,
J'ose tout entreprendre, et puis tout achever.
1815 Mais si ce fier honneur toujours inexorable[4]
Ne se peut apaiser sans la mort du coupable,
N'armez plus contre moi le pouvoir des humains,
Ma tête est à vos pieds, vengez-vous par vos mains ;
Vos mains seules ont droit de vaincre un invincible,
1820 Prenez une vengeance à tout autre impossible ;
Mais du moins que ma mort suffise à me punir,
Ne me bannissez point de votre souvenir,
Et puisque mon trépas conserve votre gloire,
Pour vous en revancher[5] conservez ma mémoire,
1825 Et dites quelquefois, en songeant à mon sort,
« S'il ne m'avait aimée il ne serait pas mort ».

---

1. **Ma conquête** : le prix de ma victoire, c'est-à-dire la main de Chimène.
2. **Forcer moi seul un camp** : mettre en déroute, à moi seul, une armée ennemie.
3. **Héros fabuleux** : héros de la mythologie gréco-romaine ; **passer** : dépasser.
4. **Toujours inexorable** : que l'on ne pourra jamais faire céder par des prières.
5. **Pour vous en revancher** : en retour.

CHIMÈNE

Relève-toi, Rodrigue. Il faut l'avouer, Sire,
Mon amour a paru, je ne m'en puis dédire[1],
Rodrigue a des vertus que je ne puis haïr,
1830 Et vous êtes mon Roi, je vous dois obéir.
Mais à quoi que déjà vous m'ayez condamnée,
Sire, quelle apparence à ce triste Hyménée[2],
Qu'un même jour commence et finisse mon deuil,
Mette en mon lit Rodrigue, et mon père au cercueil ?
1835 C'est trop d'intelligence avec son homicide[3],
Vers ses Mânes sacrés c'est me rendre perfide,
Et souiller mon honneur d'un reproche éternel,
D'avoir trempé mes mains dans le sang paternel.

LE ROI

Le temps assez souvent a rendu légitime
1840 Ce qui semblait d'abord ne se pouvoir sans crime.
Rodrigue t'a gagnée, et tu dois être à lui,
Mais quoique sa valeur t'ait conquise aujourd'hui,
Il faudrait que je fusse ennemi de ta gloire
Pour lui donner sitôt[4] le prix de sa victoire.
1845 Cet Hymen différé ne rompt point une loi
Qui sans marquer de temps lui destine ta foi[5].
Prends un an si tu veux pour essuyer tes larmes.
Rodrigue cependant, il faut prendre les armes.
Après avoir vaincu les Mores sur nos bords,
1850 Renversé leurs desseins, repoussé leurs efforts,

---

1. **Je ne m'en puis dédire** : je ne peux pas le nier.
2. **Quelle apparence à ce triste Hyménée** : que pensera-t-on de ce mariage plein de tristesse.
3. **C'est trop d'intelligence avec son homicide** : cela donnerait trop l'impression que je suis complice de son meurtre.
4. **Sitôt** : si rapidement.
5. **Cet Hymen différé [...] lui destine ta foi** : on peut repousser le mariage sans annuler la décision royale, selon laquelle tu dois épouser Rodrigue, car aucune date n'a été fixée.

Va jusqu'en leur pays leur reporter la guerre,
Commander mon armée, et ravager leur terre.
À ce seul nom de Cid ils trembleront d'effroi,
Ils t'ont nommé Seigneur, et te voudront pour Roi,
1855 Mais parmi tes hauts faits sois-lui toujours fidèle,
Reviens-en, s'il se peut, encor plus digne d'elle,
Et par tes grands exploits fais-toi si bien priser[1]
Qu'il lui soit glorieux alors de t'épouser.

DON RODRIGUE

Pour posséder Chimène, et pour votre service,
1860 Que peut-on m'ordonner que mon bras n'accomplisse ?
Quoi qu'absent de[2] ses yeux il me faille endurer,
Sire, ce m'est trop d'heur de pouvoir espérer.

LE ROI

Espère en ton courage, espère en ma promesse,
Et possédant déjà le cœur de ta maîtresse,
1865 Pour vaincre un point d'honneur qui combat contre toi
Laisse faire le temps, ta vaillance, et ton Roi.

---

1. **Priser** : estimer, honorer.
2. **Absent de** : loin de.

Pour comprendre l'essentiel

Du jeune Rodrigue au glorieux Cid

1 Les trois premières scènes de l'acte IV préparent le retour victorieux de Rodrigue après sa bataille contre les Mores. Expliquez comment les paroles d'Elvire (scène 1), de l'Infante (scène 2) et du Roi (scène 3) marquent la transformation de Rodrigue en véritable héros national.

2 À la demande du Roi, Rodrigue fait le récit de sa bataille contre les Mores. Dans les vers 1253-1339, relevez les marques du registre épique et montrez que Rodrigue incarne la bravoure et la dévotion absolue à son souverain.

3 Rodrigue est consacré comme le Cid par deux rois mores, puis par son propre souverain (v. 1231-1238). Indiquez pourquoi, selon vous, Corneille a fait de ce surnom le titre de sa pièce.

De l'amour sacrifié à la passion révélée

4 Le personnage de l'Infante a été critiqué comme inutile à l'action par les contemporains de Corneille; pourtant, ses stances (acte V, scène 2) font écho à celles de Rodrigue (acte I, scène 7). Étudiez en quoi ce personnage, dont l'amour reste secret, montre une autre forme de lien entre amour et honneur.

5 L'acte V est encadré par deux moments où Rodrigue offre, à nouveau, sa vie à Chimène. En justifiant vos propos par des citations, qualifiez l'héroïsme particulier dont Corneille dote Rodrigue et expliquez son lien avec l'amour.

6 Au long des actes IV et V, Chimène cache son amour pour Rodrigue au Roi, mais finit par le révéler lors de la scène 5 de l'acte V. Étudiez la façon dont cette scène voit se déchaîner une parole amoureuse longtemps retenue, en étudiant le style et l'expressivité des tirades de Chimène.

Un dénouement mêlé : vers un amour heureux ?

7 Dans les actes IV et V, on assiste à un constant mélange des registres. Analysez les deux quiproquos présents dans ces actes, et montrez qu'ils s'opposent au pathétique porté par le personnage de Chimène.

8 Bien que, dans l'acte IV, le souverain semble parfois peu digne d'un roi de tragédie, la fin de la pièce lui donne un rôle central. Dans la dernière scène, expliquez comment il orchestre une fin heureuse, proche d'un dénouement de comédie.

9 Le mariage annoncé de Chimène et de Rodrigue est l'un des passages qui ont gêné les critiques de l'époque de Corneille. Cherchez les raisons pour lesquelles ce dénouement peut paraître invraisemblable ou choquant.

> ✔ *Rappelez-vous !*
>
> • Dans le théâtre du XVIIᵉ siècle, le **dénouement** doit résoudre tous les conflits de la pièce. Il dépend du genre de la pièce : une comédie s'achève par un mariage entre les jeunes amoureux, une tragédie se finit dans la douleur, une tragi-comédie dans le bonheur. *Le Cid* offre un dénouement heureux : le Roi annonce le mariage à venir de Rodrigue et de Chimène, qui renonce à sa vengeance.
>
> • Cette fin heureuse a choqué par son irrespect des **règles de vraisemblance** et de **bienséance**, mises en place au début du XVIIᵉ siècle. Le dénouement les enfreint aux yeux des contemporains de Corneille, car il présente un mariage entre la fille de la victime et le meurtrier (cela n'est pas vraisemblable), accepté par la fille de la victime (cela n'est pas bienséant).

Vers l'oral du Bac

Analyse de la scène 6 de l'acte V, v. 1749-1798, p. 122-124

> → *Repérer l'originalité de ce dénouement heureux*

🎤 *Conseils pour la lecture à voix haute*

– Faites sentir la structure de la tirade de Chimène, qui fait alterner présent, passé et futur.

– Variez le ton selon les prises de parole: Chimène se montre suppliante, alors que les hommes qui l'entourent sont heureux et optimistes.

📝 *Analyse du texte*

■ *Introduction rédigée*

À la scène 6 de l'acte V, pour la troisième et dernière fois, Chimène se dresse seule devant une assemblée d'hommes, en héroïne résolue et passionnée. Après avoir demandé un duel entre Rodrigue et Don Sanche et promis d'épouser le vainqueur, Chimène voit revenir Don Sanche avec une épée ensanglantée et en déduit qu'il a tué Rodrigue. Maintenant que son père est vengé, elle peut laisser éclater publiquement son amour pour le jeune héros et le révèle au Roi. Nous étudierons la façon dont cet aveu, entendu par les hommes de la cour, précipite un dénouement heureux. On examinera d'abord comment les conflits de la pièce sont résolus dans cette scène, puis on verra comment la révélation de la vérité est au cœur de ce dénouement. En dernier lieu, on étudiera la façon dont cette scène voit triompher une passion parfaite et reconnue de tous.

■ *Analyse guidée*

I. La mise en place du dénouement

a. Dans la scène 5 de l'acte V, l'amour de Chimène pour Rodrigue semblait désespéré pour trois raisons. Identifiez-les et montrez que chacun de ces obstacles est levé à la scène 6.

b. Dans une tragi-comédie, les registres peuvent librement se mêler. Étudiez le caractère pathétique et tragique de la tirade de Chimène, puis le basculement de la scène vers un dénouement de comédie.

c. Introduit à l'acte II, le Roi est l'artisan principal du dénouement. Montrez que son autorité est reconnue par tous, en analysant le jeu des apostrophes et la manière dont Rodrigue et Chimène se réfèrent à lui.

II. La vérité au grand jour

a. La vérité éclate à la suite d'un malentendu : Chimène, comme le public, a vu l'épée rougie de Don Sanche. Analysez l'effet d'attente que Corneille crée avant la révélation de ce quiproquo, en étudiant la succession des trois premières répliques de la scène.

b. Chimène avoue pour la première fois, publiquement, son amour pour Rodrigue. Après avoir rappelé ce qui lui permet de faire cet aveu, relevez les marques d'intensité dans sa tirade.

III. Le triomphe d'un amour parfait

a. Partagée entre amour et honneur, Chimène rappelle au Roi les sacrifices auxquels elle a consenti. Montrez comment elle met en valeur le déchirement qu'elle a vécu entre passé et présent, entre père et amant, et entre vengeance et amour, en analysant les jeux d'opposition et les parallélismes présents dans sa tirade.

b. À cet amour héroïque répond l'héroïsme amoureux d'un Rodrigue qui ne veut pas d'« un sang hasardé pour Chimène » (v. 1776). Étudiez l'hommage que rend Don Sanche à l'amour mutuel des deux personnages.

c. La passion de Chimène et de Rodrigue est enfin acceptée et admirée. Montrez comment les différents personnages, et surtout le Roi, lui confèrent une telle légitimité, en relevant le registre mélioratif présent dans leurs répliques.

■ *Conclusion rédigée*

Si cette scène, qui prépare et entame le dénouement, est particulièrement originale, c'est qu'elle est entièrement bâtie sur des effets de surprise. Construite autour d'un aveu suscité par un malentendu, elle voit la situation basculer de la tragédie vers la comédie, de la supplication désespérée de Chimène vers un prochain mariage. En effet, au lieu de proposer un artifice romanesque pour dénouer son intrigue, comme en contenaient les tragi-comédies contemporaines du *Cid*, Corneille préfère utiliser le subterfuge du quiproquo. Chimène peut alors révéler son amour et, par là, céder à la volonté du Roi qui l'unit à Rodrigue, sans trahir son honneur. Le dramaturge parvient ainsi, habilement, à concilier jusqu'au bout passion pour l'honneur et amour passionnel.

✑ *Les trois questions de l'examinateur*

Question 1. Dans cette scène, la tirade de Chimène relève du registre tragique. Citez d'autres passages du texte où ce personnage apporte à la pièce une tonalité tragique. Vous pouvez vous appuyer sur la photographie montrant Chimène dans la mise en scène de Sandrine Anglade, reproduite dans le cahier photos, p. I.

Question 2. Lecture d'images Les documents reproduits en fin d'ouvrage, au verso de la couverture, montrent deux interprétations de cette scène de dénouement, par Brigitte Jaques-Wajeman et par Bénédicte Budan. Laquelle vous semble présenter le mieux la place de la figure royale dans cette fin de pièce ?

Question 3. Pouvez-vous citer une autre époque qui a particulièrement pratiqué le mélange des registres tragique et comique au théâtre ? Donnez quelques exemples de pièces et d'auteurs de cette période.

Le tour de l'œuvre
en 10 fiches

Sommaire

Corneille en 17 dates

1606	Naissance de Pierre Corneille à Rouen, dans une famille bourgeoise.
1615-1628	Études au collège des jésuites de Rouen, puis études de droit.
1628	Après une courte carrière juridique, il se consacre à l'écriture.
1629	Première représentation de sa comédie *Mélite*. Immense succès.
1630-1636	Série de comédies, dont *L'Illusion comique* (1636).
1635	Première tragédie, *Médée*, bien accueillie par le public. Corneille devient l'un des protégés du cardinal de Richelieu. Celui-ci l'invite à rejoindre un groupe de cinq auteurs sous sa direction.
1637	**Création du *Cid*, tragi-comédie: succès triomphal. La pièce déclenche une polémique violente, la «querelle du *Cid*».**
1640-1643	Après trois ans de silence, Corneille fait jouer trois tragédies: *Horace*, *Cinna* et *Polyeucte*. Mariage avec Marie de Lampérière, avec qui il aura sept enfants.
1647	Élection à l'Académie française, à sa troisième candidature.
1651	Échec de *Pertharite*, tragédie. Corneille s'éloigne du théâtre et traduit en vers le texte latin de l'*Imitation de Jésus-Christ*.
1659	Corneille devient le protégé du surintendant Fouquet. *Œdipe*, tragédie, rencontre le succès.
1660	Publication d'une édition de son théâtre, où il insère **la seconde version du *Cid*, tragédie.**
1663-1664	Louis XIV accorde une pension à Corneille. *Sophonisbe* et *Othon*, tragédies.
1665	Rencontre avec le dramaturge Jean Racine, son futur rival.
1670	*Tite et Bérénice*, tragédie de Corneille, est jouée la même année que *Bérénice*, tragédie de Racine. La préférence du public va à Racine.
1674	Échec de *Suréna*, tragédie. Corneille cesse d'écrire du théâtre.
1684	Mort de Corneille à Paris. Il a composé trente-trois pièces au cours de sa vie.

L'œuvre dans son contexte

À l'aube de la monarchie absolue

Le règne de Louis XIII (1601-1643) voit la monarchie française évoluer vers l'absolutisme. Lorsque, après sept ans de régence, Louis XIII accède au trône, le pouvoir monarchique est en crise. Le roi assoit alors son autorité avec l'aide d'Armand Jean du Plessis, cardinal de Richelieu (1585-1642), ministre de 1624 à sa mort.

Sur le plan extérieur, **le cardinal et le roi s'efforcent d'abord de redonner une place centrale à la France en Europe.** À cette époque, les Habsbourg, puissante famille régnant sur l'Espagne et sur le Saint-Empire romain germanique, s'opposent aux États allemands dans la guerre de Trente Ans (1618-1648). Louis XIII intervient dans le conflit, en attaquant l'Espagne en 1635. La guerre tourne à l'avantage de la France et fait d'elle un acteur de premier plan parmi les puissances européennes.

Sur le plan intérieur, le cardinal de Richelieu met fin aux révoltes des communautés protestantes, puis écrase plusieurs soulèvements populaires. **Mais la principale menace vient des désirs révolutionnaires des nobles ; Richelieu réduit leur pouvoir et réprime certains de leurs usages, en particulier le duel.** Les nobles français des années 1630 vivent en effet dans une culture du duel, qui décime toute une partie de l'aristocratie. Le pouvoir central tente d'y mettre fin et de rendre absolue l'autorité monarchique.

À l'aube du classicisme

À ce désir de contrôle politique correspond une volonté de raffiner la culture et d'unifier la langue française, dans un pays où les patois sont nombreux. En 1635, le cardinal, amateur de théâtre et écrivain à ses heures, crée **l'Académie française, chargée de définir la langue française et le bon goût littéraire.** Alors que l'art baroque se développe en France, des salons menés par des femmes de lettres, comme Madeleine de Scudéry (1607-1701), contribuent à répandre **l'esprit précieux.** Ce courant littéraire allie des sentiments délicats à un langage recherché, entre autres dans le genre du **roman pastoral, montrant des amours de bergers dans un monde idyllique.**

Les œuvres et les questions littéraires deviennent de véritables sujets de société : les autorités souhaitent réguler et harmoniser les créations des écrivains, encore marquées par la liberté de l'esthétique baroque. **Les genres théâtraux, notamment la tragédie, se voient imposer des règles rigides inspirées des théoriciens de l'Antiquité.** La littérature française s'achemine ainsi fermement vers le mouvement classique (➡ voir fiche 6, p. 145).

Fiche 3

La structure de l'œuvre

Acte I – Exposition

Scène et personnages	Action
Scène 1 Le Comte, Elvire	Elvire demande au Comte auquel des deux prétendants de Chimène, Rodrigue et Don Sanche, va sa préférence. Le Comte fait l'éloge de Rodrigue, puis se rend au conseil, où il s'attend à être nommé gouverneur du fils du Roi.
Scène 2 Chimène, Elvire	Elvire s'en réjouit, d'autant plus que Don Diègue, père de Rodrigue, compte demander la main de Chimène à la sortie du conseil royal. Mais Chimène pressent un malheur.
Scène 3 L'Infante, Léonor, Le Page	L'Infante avoue à Léonor son amour impossible pour Rodrigue.
Scène 4 Le Comte, Don Diègue	**Duel verbal** entre les pères : le roi a choisi Don Diègue pour gouverneur. Furieux, le Comte donne un soufflet à Don Diègue, qui tire l'épée. Trop âgé pour combattre, ce dernier perd son arme.
Scène 5 Don Diègue	**Premier monologue de Don Diègue** : l'infamie qui le touche le désespère.
Scène 6 Don Diègue, Don Rodrigue	**Dialogue de sourds** : apercevant Rodrigue, Don Diègue demande à son fils de le venger. Le jeune homme reste interdit.
Scène 7 Don Rodrigue	**Première scène de stances : monologue délibératif de Rodrigue**, qui se demande s'il lui faut défier le Comte en duel, laisser l'offense impunie ou se suicider. Il finit par affirmer qu'il n'a pas d'autre choix que de venger l'honneur de son père.

Acte II – Nœud du drame

Scène et personnages	Action
Scène 1 Le Comte, Don Arias	Au nom du Roi, Don Arias demande au Comte de faire des excuses à Don Diègue. Le Comte refuse.
Scène 2 Le Comte, Don Rodrigue	**Duel verbal** entre Rodrigue, jeune combattant inexpérimenté, et le Comte, héros guerrier. Ils sortent du palais pour se battre.
Scène 3 L'Infante, Chimène, Léonor	L'Infante tâche de rassurer Chimène sur l'issue de la querelle et lui propose de retenir Rodrigue prisonnier pour éviter un combat.
Scène 4 L'Infante, Chimène, Léonor, Le Page	Un Page annonce que Rodrigue et le Comte sont sortis du palais ensemble. Chimène s'en va précipitamment, convaincue que le duel a eu lieu.
Scène 5 L'Infante, Léonor	L'Infante cède un moment à sa passion pour Rodrigue, s'imaginant qu'il deviendra un grand guerrier et qu'elle pourra l'épouser.
Scène 6 Le Roi, Don Arias, Don Sanche, Don Alonse	Conseil royal: le Roi veut punir le Comte pour sa témérité. Il déclare que les Mores projettent d'attaquer le royaume. On annonce la mort du Comte.
Scène 7 Les mêmes, Don Diègue, Chimène	**Duel rhétorique** de Don Diègue et de Chimène, qui demandent justice au Roi. Le Roi refuse de trancher immédiatement.

Acte III – Impasse tragique

Scène et personnages	Action
Scène 1 Don Rodrigue, Elvire	Elvire découvre Rodrigue chez Chimène. Elle le cache dans la maison.
Scène 2 Chimène, Don Sanche, Elvire	Chimène rentre du palais royal avec Don Sanche. Celui-ci se dit prêt à la venger.
Scène 3 Chimène, Elvire	Chimène avoue à Elvire qu'elle aime encore Rodrigue, mais qu'elle le poursuivra en justice avant de se suicider.
Scène 4 Don Rodrigue, Chimène, Elvire	**Première entrevue des amants** : Rodrigue surgit devant Chimène et l'incite à le tuer de ses mains, mais elle refuse. Le dialogue, d'abord argumentatif, se change en **duo d'amour élégiaque**.
Scène 5 Don Diègue	**Second monologue de Don Diègue** : il recherche Rodrigue, inquiet pour la vie de son fils.
Scène 6 Don Diègue, Don Rodrigue	Don Diègue retrouve Rodrigue et lui demande de repousser les Mores, en train d'attaquer la ville.

Acte IV – Péripétie : la victoire sur les Mores

Scène et personnages	Action
Scène 1 Chimène, Elvire	Elvire annonce que Rodrigue a vaincu les Mores. Chimène laisse échapper son admiration, puis se rappelle son devoir de vengeance.
Scène 2 L'Infante, Chimène, Léonor, Elvire	L'Infante tente de convaincre Chimène de cesser de poursuivre Rodrigue, mais Chimène refuse.

Scène 3 Le Roi, Don Diègue, Don Arias, Don Rodrigue, Don Sanche	Accueilli en héros, Rodrigue fait au Roi le récit de sa bataille, dans une tirade narrative.
Scène 4 Les mêmes, Don Alonse	On annonce l'arrivée de Chimène. Le Roi fait sortir Rodrigue.
Scène 5 Le Roi, Don Diègue, Don Arias, Don Sanche, Don Alonse, Chimène, Elvire	Le Roi fait croire à Chimène que Rodrigue est mort, et elle manque de s'évanouir. Revenue à elle, elle demande un duel judiciaire contre Rodrigue. Le Roi accepte à deux conditions : seul Don Sanche affrontera Rodrigue et Chimène se mariera au vainqueur, quel qu'il soit.

Acte V – Dénouement

Scène et personnages	Action
Scène 1 Don Rodrigue, Chimène	**Seconde entrevue des amants :** Rodrigue vient à nouveau chez Chimène et explique qu'il compte laisser Don Sanche le tuer. Chimène l'incite à sortir vainqueur du combat en lui réaffirmant son amour.
Scène 2 L'Infante	**Seconde scène de stances : monologue de l'Infante,** qui laisse libre cours à son amour désespéré pour Rodrigue, à présent digne d'elle.
Scène 3 L'Infante, Léonor	L'Infante annonce à Léonor sa volonté de laisser Rodrigue à Chimène.
Scène 4 Chimène, Elvire	Chimène exprime son hésitation, ne sachant qui soutenir dans le duel. Elvire tâche de la convaincre de céder au bonheur.
Scène 5 Don Sanche, Chimène, Elvire	**Dialogue de sourds** où se noue un **quiproquo :** Don Sanche se présente devant Chimène avec une épée ensanglantée. Elle croit qu'il a tué Rodrigue et le repousse violemment.

Scène 6 Le Roi, Don Diègue, Don Arias, Don Sanche, Don Alonse, Chimène, Elvire	Chimène avoue publiquement son amour pour Rodrigue. Le Roi, rétablissant la vérité, explique que le jeune homme n'est pas mort et offre à Chimène de l'épouser.
Scène 7 Le Roi, Don Diègue, Don Arias, Don Rodrigue, Don Alonse, Don Sanche, L'Infante, Chimène, Léonor, Elvire	Rodrigue réapparaît pour offrir une troisième fois sa vie à Chimène. Le Roi l'en dissuade, puis propose de différer leur mariage d'un an afin de préserver leur honneur.

• **Des jeux de doubles** : la pièce de Corneille est marquante par la concentration d'effets de doubles, d'échos et de symétries qui s'y retrouve. Les personnages peuvent être répartis par paires : les amants (Rodrigue et Chimène), les pères (Don Diègue et le Comte), les rivaux malheureux (l'Infante et Don Sanche), les confidentes (Elvire et Léonor). Certaines scènes et certains motifs sont répétés : deux scènes de stances (acte I, scène 7 et acte V, scène 2), deux monologues de Don Diègue, de longueur égale (acte I, scène 5 et acte III, scène 5), deux rencontres entre les amants (acte III, scène 4 et acte V, scène 1), deux apparitions d'une épée sanglante (acte III, scène 4 et acte V, scène 5), etc. Cette binarité des motifs est soulignée par la multiplication des duels verbaux et par l'extraordinaire concentration des figures d'opposition (antithèses, oxymores, chiasmes, etc.).

• **Une tension vers l'unité** : loin de signaler l'existence de contraires irréconciliables, les jeux de doubles renforcent l'unité de la pièce. L'union des contraires culmine dans les retrouvailles d'amants ennemis, partageant les mêmes valeurs. De même, on voit réunies plusieurs formes d'héroïsme en la personne de Rodrigue. La pièce se caractérise donc par une harmonie toute en tension, qui crée un mouvement ascensionnel : de même que le récit de la bataille contre les Mores passe des ténèbres à la lumière, Rodrigue s'élève au rang de héros.

Les grands thèmes de l'œuvre

Les héroïsmes de la pièce

La pièce de Corneille exalte l'héroïsme, qui est l'un des idéaux de l'aristocratie du XVIIe siècle. En effet, *Le Cid* met en scène une sensibilité que le critique Paul Bénichou a qualifiée de «féodale». Dans ce modèle de pensée, l'honneur, ou «gloire», est une valeur centrale. Elle est l'apanage de personnages «généreux», c'est-à-dire dotés d'un ensemble de qualités innées, à la fois guerrières (force, adresse) et morales (courage, fierté, sens du devoir). Cet honneur passe uniquement par la gloire militaire et s'attache à une lignée, contre laquelle le moindre affront, tel le soufflet du Comte à Don Diègue (acte I, scène 4), doit être vengé à la pointe de l'épée. Tous les personnages masculins se font les porte-parole de cette conception de l'honneur : non seulement les deux pères, mais aussi Rodrigue. **Cependant, les pères diffèrent de leurs enfants** dans la mesure où leur fierté peut se changer en arrogance et les pousser à contester le pouvoir royal («Monsieur, pour conserver ma gloire et mon estime/ Désobéir un peu n'est pas un si grand crime», v. 367-368).

À l'héroïsme féodal des pères répond celui de Rodrigue, qui n'est pas seulement un guerrier, mais aussi un amant parfait, dévoué à Chimène, et un sujet exemplaire, fidèle à son Roi et à la cause nationale. **Ce triple héroïsme, moderne, n'est pas inné** et se conquiert. Rodrigue accomplit en effet un parcours initiatique : ce jeune homme prometteur, mais presque incapable de répondre à un père autoritaire (acte I, scène 6), devient au cours de la pièce le Cid, un héros confiant qui détaille sur plus de soixante vers le récit de sa victoire (acte IV, scène 3). Pour conquérir un tel héroïsme, Rodrigue se venge du Comte, mais tâche aussi de réparer l'offense faite au code amoureux en offrant trois fois sa vie à Chimène (acte III, scène 4, acte V, scène 1, acte V, scène 7). Son initiation s'achève quand la bataille contre les Mores le consacre comme héros national, qui combat pour son roi.

Héroïques amours

Sa promise Chimène incarne, elle aussi, cet héroïsme nouveau qui concilie sens de la «générosité» et dévouement à l'amour. Elle se dit prête à sacrifier son bonheur à l'honneur, puis sa vie à l'amour («Pour conserver ma gloire, et finir mon ennui,/ Le poursuivre, le perdre, et mourir après lui», v. 857-858).

L'amour occupe en effet une place essentielle : il est omniprésent dans *Le Cid*, sous différentes formes. Le texte met en scène des «amants» et des «amoureux». À Rodrigue et Chimène, qui partagent un amour réciproque, répondent l'Infante et Don Sanche, dont l'amour n'est pas payé de retour. La présence de ces rivaux fait peser sur le couple la menace du «change», c'est-à-dire de l'infidélité. De nombreuses fausses pistes laissent imaginer cette possibilité : l'Infante veut faire de Rodrigue son prisonnier (acte II, scène 3), Don Sanche épousera Chimène s'il gagne le duel final (acte IV, scène 5). Malgré ces menaces, Corneille donne à voir en Rodrigue et Chimène un couple uni par un amour aussi pur que constant, un «miracle d'amour» (v. 995).

Le Cid affirme ainsi que l'amour est une passion tout aussi valable que l'honneur («L'infamie est pareille et suit également/ Le guerrier sans courage et le perfide amant», déclare Rodrigue, v. 1073-1074). En effet, ce n'est pas parce qu'ils jugent l'amour inférieur à l'honneur que Chimène et Rodrigue font le sacrifice d'y renoncer. Si chacun d'eux s'attache à suivre son devoir malgré ses souffrances, c'est pour être digne de l'estime de l'autre («Ma générosité doit répondre à la tienne», dit Chimène à Rodrigue, v. 940). **Dans cet effort sacrificiel, la vraie difficulté n'est pas de choisir entre amour et honneur, mais de s'affronter pour l'honneur tout en continuant à s'aimer.** Et si Chimène finit par fléchir, ce n'est pas sans avoir montré une volonté extraordinaire pour répondre à la fois à son devoir et à sa passion.

La moralité de la pièce

Au XVIIe siècle, on considère que toute œuvre poétique doit avoir une utilité morale. Corneille lui-même dit qu'on peut, au théâtre, « semer presque partout » des «sentences et des instructions morales » (*Discours de l'utilité et des parties du poème dramatique*). **Pourtant, Le Cid a été accusé d'immoralité** : la pièce place en son centre le duel, interdit par décret, montre un Roi remis parfois en question et donne à voir une passion trop ardente.

En réalité, Corneille obéit à une conception du théâtre différente de celle des théoriciens de l'époque. Selon une idée empruntée au philosophe grec Aristote (384-322 av. J.-C.), le théâtre du XVIIe siècle est censé permettre la *catharsis*, la purification des spectateurs. Devant la représentation de passions violentes, le public ressentirait de la crainte et de la pitié, et serait purifié de ses propres passions. Au contraire, **Corneille considère que le but «de la poésie dramatique est de plaire »** (épître dédicatoire de *Médée*) ; **à une logique morale, il oppose une logique de divertissement, de plaisir du spectateur**. Il propose en Chimène et Rodrigue des personnages passionnants plutôt que des modèles moraux. En 1660, quand il fait paraître une version réécrite du *Cid*, il admet qu'il ignore si la pitié ressentie pour Rodrigue et Chimène peut parvenir à nous «donner une crainte de tomber dans un pareil malheur [...] et [il a] bien peur que le raisonnement d'Aristote sur ce point ne soit qu'une belle idée, qui n'ait jamais son effet dans la vérité » («Examen» du *Cid*).

Une tragi-comédie ?

En 1637, lors de sa création, Corneille dote *Le Cid* du sous-titre «tragi-comédie». Cependant, quand il la publie à nouveau en 1648, il la renomme «tragédie». **En effet, la pièce est à la frontière des deux genres.**

La tragédie

Issue du théâtre grec ancien, la tragédie est le genre noble par excellence. On l'oppose à la comédie, pièce qui vise à faire rire, de forme libre et au dénouement heureux (souvent constitué par un mariage). On nomme «tragédie» une pièce de théâtre en cinq actes et en vers, **au dénouement malheureux, mettant en scène des personnages de haut rang tirés de l'histoire ou de la mythologie.**

Dès l'Antiquité, on a cherché à analyser la tragédie. Au début du XVIIe siècle, les dramaturges et les doctes s'emparent des écrits d'Aristote pour définir les règles de ce genre, notamment les trois unités (➡ voir fiche 6, p. 145). Ainsi, d'une beauté parfaite – c'est-à-dire harmonieuse et équilibrée –, **la tragédie doit être à même de parfaire moralement le spectateur.**

La tragi-comédie

La tragi-comédie constitue, quant à elle, un genre beaucoup plus récent. Alors que la comédie et la tragédie sont nées dans l'Antiquité, elle est créée au XVIe siècle. Elle connaît son âge d'or dans les années 1630, grâce aux pièces de Georges de Scudéry (1601-1667), Jean de Rotrou (1609-1650) et Jean Mairet (1604-1686). Combinaison de différents genres, la tragi-comédie se définit comme une pièce en cinq actes et en vers, **mettant en scène des personnages nobles (comme la tragédie), avec un dénouement heureux (comme la comédie).** Elle présente la plupart du temps une intrigue sentimentale: des amants séparés sont réunis après avoir triomphé de multiples obstacles, grâce à leur passion et à leur valeur morale.

Ce genre mixte est caractérisé par une grande liberté. Refusant de respecter quelque règle que ce soit, les dramaturges y mêlent les registres comique et tragique, multiplient les lieux et étalent la durée de l'action, ce qui leur permet de développer une intrigue riche en rebondissements. L'atmosphère de ces pièces se rapproche beaucoup de celle des romans de l'époque, dont elles reprennent un grand nombre de péripéties typiques: duels judiciaires, fausses morts, déguisements, reconnaissances d'enfants perdus, etc. **Ce théâtre à sensations fortes mise sur des effets spectaculaires et un style plein d'emphase, afin de faire frémir le spectateur.**

Une pièce
au croisement des genres

Tout en jouant sur les attendus d'une tragi-comédie, Corneille tâche de raffiner ce genre en se rapprochant de la règle classique des trois unités (➡ voir fiche 6, p. 145) et insère dans sa pièce des éléments proprement tragiques. **Il introduit ainsi dans un genre où prime le spectaculaire une profondeur psychologique et humaine.**

Aspects tragi-comiques de la pièce	Aspects de la pièce qui la rapprochent de la tragédie
– Le thème des amours contrariées (*Le Prince déguisé* de Georges de Scudéry montre, de la même façon, une jeune fille séduite par l'homme responsable de la mort de son père). **– Des motifs attendus**: les duels, la fausse mort, l'amant offrant sa vie à sa maîtresse sont des éléments présents dans d'autres tragi-comédies. **– L'action, complexe et pleine de rebondissements** : querelle des pères, mort du Comte, bataille contre les Mores, dernier duel, fausse mort de Rodrigue. **– Le mélange des registres**, pathétique (dans les stances, par exemple), romanesque (effet de suspens) et légères touches de comique (le Roi mettant en place un stratagème pour piéger Chimène, à la scène 5 de l'acte IV, par exemple). **– Le goût du spectaculaire**, à la fois visuel (le soufflet est montré sur scène, apparition de l'épée sanglante de Rodrigue) et verbal (style emphatique). **– Le dénouement heureux.**	**– Le sujet tiré de sources historiques** (➡ voir fiche 9, p. 151), alors que les intrigues des tragi-comédies sont souvent inventées par les dramaturges. **– Le refus des artifices romanesques**: ce n'est pas déguisé que Rodrique apparaît devant son amante, contrairement aux personnages des pièces de Scudéry ou de Rotrou; Corneille n'utilise pas de rebondissement pour justifier le revirement final de Chimène (comme une réapparition soudaine du Comte, ou Chimène se révélant la fille d'un autre homme). **– La résonance politique de la pièce**, qui montre une noblesse hautaine se soumettant à l'autorité royale. **– L'intériorisation des conflits** : les combats réels de la pièce ne sont pas montrés sur scène, alors que les dilemmes des personnages sont largement exposés et centraux dans l'intrigue.

Le Cid et le classicisme

Baroque et classicisme

Le Cid se situe à un tournant de l'histoire de la littérature, un moment où coexistent les deux courants artistiques majeurs du XVIIe siècle : le baroque et le classicisme. En 1637, l'un quitte progressivement la scène littéraire, tandis que l'autre s'y construit une place centrale.

Dominant au début du XVIIe siècle, le courant baroque privilégie les thèmes de l'inconstance et de l'illusion, et se caractérise par une recherche de la virtuosité. Le style baroque, riche en contrastes et en effets dramatiques, est la marque d'auteurs comme le poète français Théophile de Viau (1590-1626) ou le dramaturge espagnol Pedro Calderón de la Barca (1600-1680).

Au contraire, le classicisme se définit par la recherche de l'harmonie et de la mesure. Les auteurs classiques visent à atteindre une beauté parfaite, équilibrée, capable de «mêler l'utile à l'agréable», d'à la fois divertir le lecteur et de l'édifier, c'est-à-dire de lui apporter un enseignement moral. Théorisé dès le début du siècle, le classicisme atteint son apogée dans les années 1660-1680, notamment au théâtre, grâce aux dramaturges Jean Racine (1639-1699), pour la tragédie, et Molière (1622-1673), pour la comédie.

Le Cid et les règles du théâtre classique

À l'époque où Corneille écrit *Le Cid*, le classicisme se met lentement en place. Au théâtre, les théoriciens commencent à formuler des règles strictes, tirées de la lecture du philosophe grec Aristote. Selon ces règles, les pièces de théâtre doivent proposer une seule intrigue (**unité d'action**), sans actions superflues ou secondaires, ne pas étaler l'action au-delà de vingt-quatre heures (**unité de temps**) et ne montrer qu'un seul lieu, au lieu des décors multiples proposés sur scène à l'époque (**unité de lieu**). À ces règles, deux autres s'ajoutent : **la vraisemblance**, qui veut que les actions portées à la scène puissent être accomplies par un honnête homme du XVIIe siècle, et **la bienséance**, qui refuse la représentation d'éléments choquants, comme la mort ou le sexe. Le but est autant d'unifier, voire d'uniformiser la production théâtrale, que de la purifier moralement.

Face à ces règles, la pièce de Corneille montre plus ou moins de respect.

• **Unité de temps** : l'intrigue de la pièce se déroule effectivement en vingt-quatre heures, car la querelle entre les pères (acte I, scène 4) a lieu le matin et la réunion des amants sous l'égide du Roi (acte V, scène 7) le lendemain. Cependant, la multiplication des actions en une seule journée, qui donne à la pièce un rythme haletant, en vient à mettre à mal la règle de vraisemblance.

• **Unité de lieu** : pour Corneille, la pièce respecte cette règle, car « tout s'y passe [...] dans Séville et garde ainsi quelque espèce d'unité de lieu en général » (« Examen » du *Cid*). Mais il multiplie les lieux particuliers au sein de la ville : maison de Chimène, appartement de l'Infante, place de la ville, palais royal...

• **Unité d'action** : *Le Cid* contient plus de péripéties qu'une tragédie classique et offre une intrigue secondaire, l'amour malheureux de l'Infante pour Rodrigue. Pourtant, par rapport aux tragi-comédies de l'époque où se multiplient les coups de théâtre, *Le Cid* propose une intrigue plutôt simple, et la passion de l'Infante ne trouble jamais l'action principale.

• **Vraisemblance** : la pièce de Corneille traite cette règle avec beaucoup de liberté. Si le dramaturge prend soin de motiver psychologiquement les actions des personnages, la multiplication des événements en une seule journée et, surtout, le dénouement paraissent invraisemblables aux adversaires de Corneille.

• **Bienséance** : pour les savants de l'époque, cette dernière règle semble particulièrement malmenée. Un soufflet, geste vulgaire, est montré sur scène, le Roi n'a pas toujours l'étoffe d'un monarque, et les deux visites de Rodrigue à Chimène ne sont pas en accord avec la morale de l'époque. L'ensemble de la pièce est jugé trop sensuel, car la passion amoureuse de Rodrigue et de Chimène s'y révèle dans toute son ardeur.

Corneille, l'irrégulier

Sans manifester la démesure et le goût de l'illusion propres à l'art baroque, ***Le Cid* ne correspond donc pas au classicisme naissant, et c'est bien cette irrégularité qui plaît au public et déplaît aux doctes.** Aussi inclassable dans un mouvement que dans un genre, cette pièce marque le tempérament, en 1637, d'un auteur profondément original, qui se plaît à créer des pièces novatrices et à suivre le goût du public plus que des lois externes.

Corneille refuse, en effet, d'imiter servilement des règles très anciennes, pour conserver toujours l'audace qui le porte. C'est pourquoi, dans l'épître dédicatoire de sa comédie *La Suivante*, publiée en pleine querelle du *Cid*, il déclare : « j'aime à suivre les règles, mais loin de me rendre leur esclave, je les élargis et les resserre selon le besoin qu'en a mon sujet [...]. Savoir les règles, et entendre le secret de les apprivoiser adroitement avec notre théâtre, ce sont deux sciences bien différentes ». Ainsi, même si, en 1660, il réécrit sa pièce pour la rendre plus conforme aux règles classiques (➡ voir fiche 7, p. 147), ***Le Cid* demeure, dans ses deux versions, une pièce où le plaisir du public prime sur le respect des règles et des genres.**

La querelle du *Cid*

La naissance de la querelle

Dès sa première représentation, la pièce de Corneille connaît un véritable triomphe, aussi bien auprès du public populaire que des nobles. Ce succès suscite des jalousies et des tensions immédiates chez les rivaux de Corneille, les dramaturges Georges de Scudéry et Jean Mairet. De plus, en février 1637, Corneille commet l'erreur de se vanter de son succès dans un poème, l'*Excuse à Ariste*, où il affirme son génie littéraire, libre de toute règle et dû à son seul mérite.

En réponse, Jean Mairet publie un pamphlet anonyme au titre évocateur : *L'Auteur du Vrai Cid espagnol à son Traducteur français*. Il rabaisse *Le Cid* à un simple plagiat de son modèle, *Las Mocedades del Cid* de Guillén de Castro (➡ voir fiche 9, p. 151). De son côté, Georges de Scudéry fait paraître en avril 1637 une critique en règle, les *Observations sur le Cid*. **Cette remise en cause des qualités de la pièce est le point de départ d'une controverse violente, la «querelle du *Cid*».**

Une remise en cause théorique

Dans les *Observations sur le Cid*, Scudéry critique *Le Cid* en profondeur en s'appuyant sur les règles du théâtre classique, censées pourtant ne pas s'appliquer à la tragi-comédie. Scudéry admet, d'un côté, que la pièce est une tragi-comédie : il critique son intrigue, qui lui paraît trop simple en comparaison des autres pièces de ce genre, prétendant que le sujet «ne vaut rien du tout», car il n'y a «aucune intrigue, aucun nœud». Pourtant, il rappelle les règles classiques pour affirmer que **les changements de lieu perturbent le spectateur, que Corneille emploie mal l'unité de temps et qu'il enfreint la vraisemblance et la bienséance.**

Ainsi, s'il s'écoule bien vingt-quatre heures dans la pièce, l'accumulation d'actions «dans le court espace d'un jour naturel» est peu crédible : «je vous laisse juger si ne voilà pas un jour bien employé, et si l'on n'aurait pas grand tort d'accuser tous ces personnages de paresse», ironise Scudéry. De même, il critique la vraisemblance du dénouement, estimant que si historiquement «il est vrai que Chimène épousa le Cid, [...] il n'est point vraisemblable qu'une fille d'honneur épouse le meurtrier de son père» (*Observations sur le Cid*).

En effet, c'est surtout **le personnage de Chimène et son amour pour le meurtrier de son père qui choquent les adversaires de Corneille.** Scudéry la qualifie ainsi d'«impudique», de «prostituée», de «parricide» et même de «monstre». En ce temps où l'on cherche à purifier moralement le théâtre, une passion si ardente, une telle fureur de vivre, qui plus est chez un personnage féminin, paraît profondément immorale.

Une polémique personnelle

En juin, Corneille répond à Scudéry dans la *Lettre apologétique du Sieur Corneille*. Sans se justifier sur le fond, il estime que la pièce « a eu l'approbation des savants et de la Cour », ce qui suffit à prouver sa valeur. **Scudéry demande alors à l'Académie française de servir d'arbitre au débat, en donnant officiellement son avis sur la pièce.**

Le jugement de l'Académie se fait attendre pendant plusieurs mois, tandis que la querelle dégénère en attaques personnelles. La *Défense du Cid*, texte anonyme, accuse Scudéry de jalousie pathologique, venue d'un excès de bile noire, tandis qu'un anonyme intitule son pamphlet *Le Souhait du Cid en faveur de Scudéry : une paire de Lunettes pour faire mieux ses Observations*. La critique qui revient le plus souvent est éloquente : **on attaque l'auteur du *Cid* sur son origine sociale, considérant qu'un bourgeois comme Corneille ne devrait pas parler de sentiments nobles, qu'il serait incapable de connaître.**

Un retour aux règles

La polémique ne s'apaise que lorsque l'Académie rend ses conclusions, en décembre 1637. **Tout en reconnaissant au *Cid* un charme particulier, elle déclare que la pièce est irrégulière. Elle consacre ainsi les règles théâtrales soutenues par les rivaux de Corneille, qui deviennent les fondements du théâtre classique.**

L'auteur de l'avis, Jean Chapelain, critique la fin de la pièce et propose même des dénouements alternatifs : le Comte aurait pu ne pas être le véritable père de Chimène, ou bien ne pas être vraiment mort.

Cette remise en cause bouleverse Corneille. Le choc est tel que, pendant trois ans, le dramaturge n'écrit plus de théâtre. Lorsqu'il se remet à faire jouer des tragédies en 1640 (comme *Horace et Cinna*), il tâche de se plier aux règles classiques pour recueillir les applaudissements des savants.

Cependant, pendant des années, Corneille défend sa pièce de 1637 et souhaite la faire apprécier par les doctes. Ainsi, en 1660, à l'occasion de la parution de son théâtre complet, Corneille ajoute à sa pièce un « Examen » qui répond aux attaques. **Il réécrit alors *Le Cid* en tenant compte d'une partie des critiques formulées lors de la querelle.** Changeant plus de trois cents vers, il supprime quelques-unes des scènes jugées inutiles à l'action et assagit quelque peu le personnage de Chimène, sans toutefois modifier l'intrigue en profondeur. La pièce perd alors son statut de tragi-comédie et se rapproche de la tragédie classique.

Plus qu'une défaite face aux doctes, cette réécriture du *Cid* marque une évolution du tempérament de Corneille. Cherchant à faire aimer son œuvre autant des intellectuels et des décideurs que du public, il prend les règles en compte sans renoncer totalement à sa liberté d'écrivain.

Représenter *Le Cid*

Au temps de Corneille

Lorsque Corneille commence sa carrière théâtrale, avec la comédie *Mélite* en 1631, il ne se trouve à Paris qu'un théâtre permanent : l'hôtel de Bourgogne. Cependant, de nombreuses troupes se produisent dans des théâtres provisoires, devant un public parisien passionné de spectacles. C'est le cas de la troupe de l'acteur Guillaume Desgilberts, dit Montdory (1594-1653). **Après avoir créé les premières pièces de Corneille et rencontré le succès, l'acteur ouvre en 1634 le deuxième théâtre permanent de Paris, le théâtre du Marais.** C'est dans cette salle qu'est représenté *Le Cid*, Montdory incarnant Rodrigue.

Dans les théâtres de l'époque, la salle est constituée d'un parterre où le public populaire se tient debout, et entourée de loges et de galeries où se trouvent les spectateurs plus riches. Les personnages de haut rang peuvent même s'asseoir sur des bancs disposés sur scène, près des comédiens. La scène n'est que très rarement cachée par un rideau. Elle ne présente qu'un seul décor pour toute la pièce ; éclairé à la chandelle, il contient plusieurs pans représentant les différents lieux de l'action, que l'on cache ou révèle au fur et à mesure. **Devant ces décors évoluent des comédiens aux costumes somptueux, moins fidèles à l'Espagne du XIᵉ siècle qu'aux costumes du temps de Corneille.**

Au XXᵉ siècle

À la fin du XVIIᵉ siècle et au XVIIIᵉ siècle, les pièces de Corneille, jugées inférieures à celles de Racine, sont peu représentées. Le XIXᵉ siècle remet *Le Cid* à l'honneur, mais c'est au XXᵉ siècle que cette tragi-comédie va être pleinement réhabilitée, dans toute son originalité. La pièce est régulièrement jouée à la Comédie-Française, dans des mises en scène qui mettent en avant la fougue du texte (comme celle de Julien Bertheau en 1949) ou insistent sur son contexte espagnol et féodal (comme celle de Paul-Émile Deiber en 1966). La mise en scène qui trouve le plus d'échos chez le public est celle de **Jean Vilar à Avignon en 1951. Le personnage de Rodrigue y est incarné par le jeune Gérard Philipe**, durablement identifié au Cid.

Par la suite, les metteurs en scène s'attachent à réinventer la pièce, pour en faire ressortir toute la portée contestataire, la place dans l'histoire littéraire ou le caractère haletant. **En 1969, Roger Planchon crée à Villeurbanne la *Mise en pièces du Cid*, mélange d'extraits du texte de Corneille et de considérations sur les menaces pesant sur le théâtre et la culture.** En 1988, à la Maison de la Culture de Bobigny, **Gérard Desarthe** fait un parallèle entre la naissance de l'absolutisme royal et les dangers du fascisme, ridiculisé par une lecture comique du texte. En 1972, au théâtre de la Ville, **Denis Llorca** fait intervenir un commentateur qui lit une partie de la pièce de Guillén de Castro. Il donne aussi à voir le caractère haletant de l'action: des cascadeurs envahissent ainsi la scène lors du récit de l'attaque des Mores. En 1985, au théâtre du Rond-Point, **Francis Huster** fait lire sur scène l'«Examen» de la pièce écrit par Corneille. Inspiré par les films d'action *Apocalypse Now* de Francis Ford Coppola (1979) et *Voyage au bout de l'enfer* de Michael Cimino (1978), **il montre en Rodrigue un héros moderne, solitaire et marginal, perdu dans un monde violent.**

Au xxie siècle

Aux alentours des années 2000, les metteurs en scène s'emparent à nouveau du *Cid* en soulignant son aspect politique. En 1999, au festival d'Avignon, **Declan Donnellan** porte à la scène un Rodrigue noir, évoluant au milieu d'acteurs blancs en costume militaire. Il désacralise la notion d'honneur en introduisant un comique subtil dans la pièce (➡ voir image reproduite en début d'ouvrage, au verso de la couverture). **Bénédicte Budan**, en 2009, au théâtre Silvia-Monfort, imagine un décor en forme de tente noire surplombée par une couronne, sous laquelle s'assied le Roi (➡ voir image reproduite en fin d'ouvrage, au verso de la couverture).

Par la suite, les metteurs en scène ont emprunté deux voies bien distinctes. **Certains insistent sur le décor espagnol du *Cid* pour en faire ressortir la liberté et la sensualité**. En 1999, au théâtre de la Madeleine, **Thomas Le Douarec** fait accompagner la représentation de chants espagnols et de pas de flamenco. De même, **Bérangère Jannelle** propose *Amor! ou les Cid* en 2007, au théâtre de l'Ouest parisien. Dans des costumes bariolés, sur fond de musique espagnole, sa troupe interprète le *Cid* avec un jeu très visuel, «sportif» (➡ voir image reproduite en p. III du cahier photos).

D'autres mises en scène présentent la pièce avec une grande solennité. Dans celle de **Brigitte Jaques-Wajeman**, à la Comédie-Française en 2005, des héros mélancoliques évoluent dans un haut décor de palais, tout en colonnes, drapés et ciels tourmentés (➡ voir images reproduites au verso de la couverture, et p. I et II du cahier photos). En 2007, au théâtre Gérard-Philipe, **Alain Ollivier** propose un décor très dépouillé, une longue passerelle de bois, contrastant avec les riches costumes d'acteurs au jeu expressif (➡ voir image de couverture). On retrouve cette recherche de dépouillement dans la mise en scène de **Wissam Arbache**, au théâtre de Gennevilliers en 2007: ses comédiens jouent avec lenteur, sur une structure métallique mobile, qui se déplace au son languissant d'un violoncelle ou d'une flûte traversière.

Le mythe du Cid

Le personnage du Cid fait partie de notre imaginaire héroïque. Loin d'avoir été inventé par Corneille, c'est une figure récurrente dans la littérature et les arts depuis le XIIᵉ siècle. Comme les personnages de Don Juan ou de Faust, **le Cid est devenu un véritable mythe littéraire, figure traditionnelle réinterprétée au fil des textes et des époques. Il incarne un questionnement fondamental, celui de l'héroïsme.**

Un personnage historique

La légende du Cid trouve son origine dans un personnage historique, le chevalier espagnol Rodrigo Díaz de Vivar (1043-1099). À son époque, le Moyen Âge espagnol, la péninsule ibérique est divisée entre royaumes musulmans au Sud, présents depuis le VIIIᵉ siècle, et royaumes catholiques au Nord. Ces derniers entreprennent la Reconquista (1006-1492), lent mouvement, assimilé à une croisade, de reconquête du territoire espagnol par les chrétiens.

C'est dans ce contexte que Rodrigo Díaz de Vivar, au service du roi de Castille (Sanche II, puis son successeur Alphonse VI), remporte des batailles où il gagne une réputation de guerrier invincible. Il acquiert le surnom de Cid Campeador, *sayyid* signifiant « seigneur » en arabe et *campeador* « maître du champ de bataille » en espagnol. Selon la légende, pour le récompenser de ses services, Alphonse VI le marie à Jimena, fille d'un comte. Puis, tombé en disgrâce auprès du roi de Castille, le Cid parcourt l'Espagne pour offrir ses services guerriers à des princes tantôt chrétiens, tantôt musulmans. Il s'empare ensuite du royaume de Valence, un des centres de la Méditerranée musulmane, sur lequel il règne jusqu'à sa mort. Une statue lui est dressée à Burgos, sa ville natale (➡ voir image reproduite en p. IV du cahier photos).

Une légende de la littérature espagnole

Ce chevalier glorieux devient un héros national, objet d'une littérature foisonnante. Il est ainsi le sujet :

– **d'épopées**, comme le *Carmen Campidoctoris*, poème en latin du XIᵉ siècle qui retrace trois grandes batailles du Cid, ou le *Cantar del mio Cid*, chanson de geste écrite au XIIᵉ siècle, racontant l'exil du héros et le mariage de ses filles ;

– **de romances**, c'est-à-dire de courts poèmes espagnols en octosyllabes, dont des centaines ont été regroupés dans un vaste ensemble poétique, appelé le *Romancero* ;

– **de textes satiriques** de l'écrivain Francisco de Quevedo (1580-1645), qui démystifie la figure du Cid dans des poèmes amusants.

Enfin, en 1618, le Cid est porté à la scène dans la pièce dont Corneille s'est directement inspiré, *Las Mocedades del Cid* (« Les Enfances du Cid »), du dramaturge Guillén de Castro

(1569-1631). Véritable *comedia* (genre théâtral espagnol ignorant la règle des unités et mélangeant tragique et comique), elle se divise en trois actes ou «journées», correspondant à trois ans. La première montre le déshonneur de Don Diègue puis la vengeance de Rodrigue, la deuxième le long exil de Rodrigue après sa victoire sur les Mores, la troisième la révélation de l'amour de Chimène et le mariage final des deux héros, célébré le soir même.

Une figure romantique

Après Corneille, le personnage du Cid est repris et remodelé par les poètes français du XIXᵉ siècle. Les auteurs du courant romantique voient en Rodrigue le type du héros passionné, aussi brave que puissant, et un sujet pittoresque qui répond à leur goût pour l'histoire ancienne. **Victor Hugo (1802-1885) fait ainsi apparaître trois fois le Cid dans sa suite de courtes épopées, *La Légende des siècles***. Le Cid y fait de l'ombre à son roi, par son «allure [...] si fière et si guerrière», lui qui, pur «rayon d'astre», est bien «trop superbe».

Dans *Les Trophées*, recueil de poèmes inspirés de l'histoire antique et médiévale, **José Maria de Heredia (1842-1905)** consacre à Rodrigue un texte intitulé «Romancero». Racontant la vengeance de Don Diègue par Rodrigue, puis la demande de justice de Chimène, **le poète réécrit en partie la pièce de Corneille en soulignant le caractère féodal et sanglant de la légende**. À la fin du siècle, Jules Massenet (1842-1912) consacre

un opéra au *Cid* (➡ voir image reproduite en p. IV du cahier photos).

Un héros hollywoodien

À son tour, le cinéma hollywoodien exploite l'image de ce héros mythique. **En 1961, Anthony Mann réalise une adaptation cinématographique de l'histoire du Cid** (➡ voir image reproduite en p. IV du cahier photos). Cette superproduction historique, où Charlton Heston joue le rôle-titre, retrace plusieurs années de la vie du Cid, y compris son mariage avec Chimène. Loin de montrer le héros partagé entre amour et devoir que présente Corneille, cette épopée fait du personnage **un soldat sans attaches, indépendant, qui symbolise les valeurs chrétiennes et un idéal de tolérance**. Tout le film insiste sur sa volonté de lutter contre un islamisme radical qui fait autant peur aux chrétiens qu'aux musulmans espagnols.

En multipliant les actes de noblesse et de bravoure, le héros réussit à réunir les communautés chrétiennes et musulmanes et se met au service de l'unité d'un peuple déchiré par les guerres. Filmé en contre-plongée, baigné de lumière dans des plans qui font penser aux représentations du Christ, **le Cid, d'abord guerrier marginal, devient un symbole national**. La dernière image du film, étonnante, montre le héros mort, harnaché sur son cheval, qui part vers le lointain, comme s'il était à jamais vivant.

Citations

Le Cid

« Ce n'est que dans le sang qu'on lave un tel outrage,
Meurs, ou tue. »

Don Diègue à Rodrigue (acte I, scène 6, v. 276-277).

« Que je sens de rudes combats !
Contre mon propre honneur mon amour s'intéresse,
Il faut venger un père, et perdre une maîtresse,
L'un échauffe mon cœur, l'autre retient mon bras,
Réduit au triste choix ou de trahir ma flamme,
            Ou de vivre en infâme,
      Des deux côtés mon mal est infini.
            Ô Dieu ! l'étrange peine !
      Faut-il laisser un affront impuni ?
      Faut-il punir le père de Chimène ? »

Rodrigue (acte I, scène 7, v. 303-312).

« – Il vous prive d'un père, et vous l'aimez encore !
– C'est peu de dire aimer, Elvire, je l'adore :
Ma passion s'oppose à mon ressentiment,
Dedans mon ennemi je trouve mon amant,
Et je sens qu'en dépit de toute ma colère
Rodrigue dans mon cœur combat encor mon père.
Il l'attaque, il le presse, il cède, il se défend,
Tantôt fort, tantôt faible, et tantôt triomphant :
Mais en ce dur combat de colère et de flamme
Il déchire mon cœur sans partager mon âme,
Et quoi que mon amour ait sur moi de pouvoir,
Je ne consulte point pour suivre mon devoir »

Elvire et Chimène (acte III, scène 3, v. 819-830).

« Nous n'avons qu'un honneur, il est tant de maîtresses ;
L'amour n'est qu'un plaisir, et l'honneur un devoir.
– [...] Mon honneur offensé sur moi-même se venge,
Et vous m'osez pousser à la honte du change !
L'infamie est pareille et suit également
Le guerrier sans courage et le perfide amant. »

Don Diègue et Rodrigue (acte III, scène 5, v. 1068-1076).

« Est-il quelque ennemi qu'à présent je ne dompte ?
Paraissez Navarrais, Mores, et Castillans,
Et tout ce que l'Espagne a nourri de vaillants,
Unissez-vous ensemble, et faites une armée
Pour combattre une main de la sorte animée,
Joignez tous vos efforts contre un espoir si doux,
Pour en venir à bout, c'est trop peu que de vous. »

Rodrigue (acte V, scène 1, v. 1568-1574).

À propos du *Cid*

« Il est malaisé de s'imaginer avec quelle approbation cette pièce fut reçue de la cour et du public. On ne se pouvait lasser de la voir, on n'entendait autre chose dans les compagnies, chacun en savait quelque partie par cœur, on la faisait apprendre aux enfants et en plusieurs endroits de la France il était passé en proverbe de dire : "Cela est beau comme *Le Cid*". »

Paul Pellisson, *Relation contenant l'histoire de l'Académie française*, 1653.

« Je prétends donc prouver contre cette pièce du *Cid*,
Que le sujet n'en vaut rien du tout,
Qu'il choque les principales règles du poème dramatique,
Qu'il manque beaucoup de jugement en sa conduite,
Qu'il a beaucoup de méchants vers,
Que presque tout ce qu'il a de beautés sont dérobées,
Et qu'ainsi l'estime qu'on en fait est injuste. »

Georges de Scudéry, *Observations sur le Cid* [avril 1637],
dans *La Querelle du Cid*, Librairie Welter, 1898.

« Si le Cid eût été Lancelot, il eût sans doute abandonné son père et sa gloire, plutôt que de faire aucune peine à Chimène. Il faut reconnaître que Corneille a toujours résolu les cas semblables en sens contraire, non pas en libérant la courtoisie de toute contrainte, mais en tendant à l'extrême ses ressorts moraux, en couronnant tous les sacrifices que l'amour inspire par le sacrifice de l'amour lui-même. Le parfait amour est pour lui, non pas seulement le plus entier, mais le plus capable, s'il le faut, de renoncer à se satisfaire. »

Paul Bénichou, « Le héros cornélien », *Morales du grand siècle*,
Gallimard, « Bibliothèque des idées », 1948.

Groupements de textes

Récits de bataille au théâtre

Eschyle, *Les Perses*

Dans *Les Perses*, le dramaturge grec Eschyle (526-456 av. J.-C.) raconte la fin de la seconde guerre médique qui opposa Perses et Grecs (485-479 av. J.-C.). Alors que la reine perse s'inquiète, un messager entre en scène pour lui décrire la bataille décisive qui a causé la défaite de son camp: après avoir surveillé toute la nuit l'île de Salamine, les Perses sont attaqués à l'aube par la flotte grecque.

LE MESSAGER

[…]
Mais quand le jour aux blêmes coursiers[1] envahit
la terre entière avec son plein éclat,
chez les Grecs d'abord, une clameur[2] éclatante,
pareille à un chant, s'éleva; tout aussi clair,
5 depuis les rochers de l'île, lui répondit

---

1. Blêmes coursiers: pâles chevaux. Dans la mythologie grecque, le Soleil est représenté comme un jeune homme traversant le ciel dans un char lumineux.
2. Une clameur: des cris.

l'écho. La crainte alors gagna tous les barbares[1],
désemparés : ce n'était certes pas pour fuir
que les Grecs entonnaient ce péan[2] solennel,
mais bien en se jetant ardemment au combat.
10 Le son de la trompette enflammait tous les cœurs ;
et aussitôt, des coups sonores de leurs rames,
profondément, ils battent l'écume en cadence.
En un instant tous sont apparus, bien en vue ;
ce fut pour commencer l'aile droite, conduite
15 en bon ordre ; la flotte, ensuite, tout entière
s'avançait, et de toutes parts l'on entendait
ce cri nombreux : « Allez, fils des Grecs ! délivrez
votre patrie, délivrez vos fils et vos femmes,
les autels des dieux de vos pères, les tombeaux
20 de vos aïeux ! c'est pour eux tous qu'il faut se battre ! »
Depuis nos rangs, une clameur en langue perse
leur répondait, l'instant fatidique était proche.
Alors chaque navire heurta son éperon[3] de bronze
contre un autre. Un vaisseau grec, le premier, lança
25 l'assaut : d'une nef[4] phénicienne, il vient briser
toute la proue ; et chacun d'en pointer[5] quelque autre.
Au début, le flot de l'armée perse fit front.
mais quand fut rassemblée, dans cette passe[6] étroite,
la foule des vaisseaux, bien loin de s'assister,
30 ils s'éventraient l'un l'autre avec leurs éperons
de bronze, entrebrisaient leurs rames ; cependant
que les vaisseaux grecs, les cernant adroitement,
les harcelaient. Les carènes[7] se renversaient ;
à peine encor[8] si l'on voyait la mer, parmi

1. **Barbares** : ici, hommes qui ne sont pas grecs, Perses.
2. **Péan** : hymne en l'honneur du dieu Apollon.
3. **Éperon** : pointe fixée à l'avant des navires de guerre, servant à crever la coque des bateaux ennemis.
4. **Nef** : navire.
5. **Proue** : avant d'un navire ; **d'en pointer** : de diriger sa pointe sur.
6. **Passe** : passage maritime.
7. **Carènes** : coques des bateaux.
8. **Encor** : encore (licence poétique pour conserver le nombre de syllabes de l'alexandrin).

35 toutes ces épaves, tout ce carnage d'hommes ;
des morts partout, sur les rivages, les récifs ;
les vaisseaux fuyaient, en désordre, à toutes rames,
tous – ceux, du moins, de l'expédition des barbares.
Comme des thons, ou des poissons pris aux filets,
40 les Grecs, armés de débris de rames, d'épaves,
les frappaient et les éreintaient[1] ; et leurs sanglots,
comme une unique plainte, envahissaient la mer.

Eschyle, *Les Perses* [472 av. J.-C.], trad. du grec ancien
par D. Sonnier et B. Donné, GF-Flammarion, 2001.
© Danielle Sonnier et Boris Donné.

Pierre Corneille, *Horace*

Horace, datant de 1640, est la première tragédie que Pierre Corneille fait jouer après *Le Cid*. Cette pièce met en scène le combat qui doit mettre fin à la guerre opposant Rome à Albe, entre trois frères romains, les Horaces, et trois frères albains, les Curiaces. D'après les premières nouvelles du duel, deux des Horaces sont morts et le troisième a pris la fuite. Leur père, le vieil Horace, se sent couvert de honte, jusqu'à ce qu'on vienne lui apprendre que cette fuite était une ruse, qui a assuré la victoire finale de Rome.

LE VIEIL HORACE

Quoi, Rome donc triomphe !

VALÈRE

Apprenez, apprenez
La valeur de ce fils qu'à tort vous condamnez.
Resté seul contre trois, mais en cette aventure,
Tous trois étant blessés, et lui seul sans blessure,
5 Trop faible pour eux tous, trop fort pour chacun d'eux,
Il sait bien se tirer d'un pas[2] si dangereux,
Il fuit pour mieux combattre, et cette prompte ruse
Divise adroitement trois frères qu'elle abuse[3].

---

1. **Les éreintaient** : leur brisaient les reins.
2. **Pas** : situation.
3. **Abuse** : trompe.

Chacun le suit d'un pas ou plus ou moins pressé,
10 Selon qu'il se rencontre[1] ou plus ou moins blessé ;
Leur ardeur est égale à poursuivre sa fuite,
Mais leurs coups inégaux séparent leur poursuite[2].
Horace, les voyant l'un de l'autre écartés,
Se retourne, et déjà les croit demi-domptés[3],
15 Il attend le premier, et c'était votre gendre[4].
L'autre, tout indigné qu'il ait osé l'attendre,
En vain en l'attaquant fait paraître un grand cœur[5],
Le sang qu'il a perdu ralentit sa vigueur.
Albe à son tour commence à craindre un sort contraire[6],
20 Elle crie au second qu'il secoure son frère,
Il se hâte, et s'épuise en efforts superflus,
Il trouve en les joignant[7] que son frère n'est plus.

CAMILLE

Hélas !

VALÈRE

Tout hors d'haleine il prend pourtant sa place,
Et redouble bientôt la victoire d'Horace ;
25 Son courage sans force est un débile[8] appui,
Voulant venger son frère il tombe auprès de lui.
L'air résonne de cris qu'au Ciel chacun envoie,
Albe en jette d'angoisse et les Romains de joie.
Comme notre Héros se voit près d'achever,
30 C'est peu pour lui de vaincre, il veut encor braver[9].

---

1. **Se rencontre** : se trouve.
2. **Leur ardeur est égale [...] leur poursuite** : ils le poursuivent tous les trois avec le même courage, mais comme les blessures qu'ils ont reçues sont plus ou moins graves, ils sont à des distances différentes de lui.
3. **Demi-domptés** : à moitié battus.
4. **Gendre** : ici, futur beau-fils. Avant la guerre, Camille, la sœur des trois Horaces, s'est fiancée à l'un des trois Curiaces.
5. **Cœur** : courage.
6. **Sort contraire** : destin défavorable.
7. **Joignant** : rejoignant.
8. **Débile** : faible.
9. **Braver** : se vanter.

« J'en viens d'immoler deux aux Mânes¹ de mes frères,
Rome aura le dernier de mes trois adversaires,
C'est à ses intérêts que je vais l'immoler »,
Dit-il, et tout d'un temps² on le voit y voler.
35 La victoire entre eux deux n'était pas incertaine,
L'Albain percé de coups ne se traînait qu'à peine,
Et comme une victime aux marches de l'Autel,
Il semblait présenter sa gorge au coup mortel.
Aussi le reçoit-il, peu s'en faut, sans défense,
40 Et son trépas de Rome établit la puissance.

Corneille, *Horace* [1640], acte IV, scène 2,
dans *Œuvres complètes*, t. I, Gallimard, «Bibliothèque de la Pléiade», 2003.

Molière, *Amphitryon*

En 1668, Molière (1622-1673) s'inspire d'une pièce de l'auteur latin Plaute pour écrire la comédie *Amphitryon*. Le seigneur Amphitryon de Thèbes vient de remporter une victoire contre Ptérélas ; il envoie son esclave donner des nouvelles à son épouse Alcmène. Mais l'esclave, Sosie, n'a pas participé à la bataille.

SOSIE, *seul.*

[…]
Je dois aux yeux d'Alcmène un portrait militaire
Du grand combat qui met nos ennemis à bas ;
      Mais comment diantre le faire,
      Si je ne m'y trouvai pas ?
5 N'importe, parlons-en et d'estoc et de taille³,
      Comme oculaire témoin :
Combien de gens font-ils des récits de bataille
      Dont ils se sont tenus loin ?

---

1. **Immoler** : offrir en sacrifice ; **Mânes** : âmes des morts, dans l'Antiquité.
2. **Tout d'un temps** : en même temps.
3. **Et d'estoc et de taille** : avec la pointe et le tranchant de l'épée (sens propre) ; d'une manière ou d'une autre (sens figuré).

Pour jouer mon rôle sans peine,
10   Je le veux un peu repasser[1].
   Voici la chambre où j'entre en courrier[2] que l'on mène,
       Et cette lanterne est Alcmène,
       À qui je me dois adresser.

                    Il pose sa lanterne à terre
                    et lui adresse son compliment[3].

   « Madame, Amphitryon, mon maître, et votre époux.
15 (Bon! beau début!) l'esprit toujours plein de vos charmes,
       M'a voulu choisir entre tous,
   Pour vous donner avis du succès de ses armes[4],
   Et du désir qu'il a de se voir près de vous. »
            « Ha! Vraiment, mon pauvre Sosie,
20   *À te revoir j'ai de la joie au cœur. »*
       « Madame, ce m'est trop d'honneur,
       Et mon destin doit faire envie. »
   (Bien répondu!) *« Comment se porte Amphitryon ? »*
       « Madame, en homme de courage,
25 Dans les occasions où la gloire l'engage. »
       (Fort bien! belle conception!)
       « Quand viendra-t-il, par son retour charmant,
       Rendre mon âme satisfaite ? »
   « Le plus tôt qu'il pourra, madame, assurément,
30   Mais bien plus tard que son cœur ne souhaite. »
   (Ah!) *« Mais quel est l'état où la guerre l'a mis ?*
   Que dit-il ? que fait-il ? Contente un peu mon âme. »
       « Il dit moins qu'il ne fait, madame,
       Et fait trembler les ennemis. »
35 (Peste! où prend mon esprit toutes ces gentillesses[5]?)
   « Que font les révoltés ? dis-moi, quel est leur sort ? »
   « Ils n'ont pu résister, Madame, à notre effort:

---

1. **Repasser**: répéter.
2. **Courrier**: messager.
3. **Compliment**: discours poli.
4. **Succès de ses armes**: victoire guerrière.
5. **Gentillesses**: expressions belles et subtiles.

Nous les avons taillés en pièces,
Mis Ptérélas leur chef à mort,
40 Pris Télèbe[1] d'assaut, et déjà dans le port
Tout retentit de nos prouesses. »
« Ah ! quel succès ! ô Dieux ! Qui l'eût pu jamais croire ?
Raconte-moi, Sosie, un tel événement. »
«Je le veux bien, Madame ; et, sans m'enfler de gloire,
45 Du détail de cette victoire
Je puis parler très savamment.
Figurez-vous donc que Télèbe,
Madame, est de ce côté :

Il marque les lieux sur sa main, ou à terre.

C'est une ville, en vérité,
50 Aussi grande quasi que Thèbes,
La rivière est comme là.
Ici nos gens se campèrent[2] ;
Et l'espace que voilà,
Nos ennemis l'occupèrent :
55 Sur un haut, vers cet endroit,
Était leur infanterie ;
Et plus bas, du côté droit,
Était la cavalerie.
Après avoir aux Dieux adressé les prières,
60 Tous les ordres donnés, on donne le signal.
Les ennemis, pensant nous tailler des croupières[3],
Firent trois pelotons[4] de leurs gens à cheval ;
Mais leur chaleur[5] par nous fut bientôt réprimée,
Et vous allez voir comme quoi.
65 Voilà notre avant-garde à bien faire animée ;
Là, les archers de Créon, notre roi ;
Et voici le corps d'armée[6],

---

1. **Télèbe** : cité grecque.
2. **Nos gens se campèrent** : nos soldats établirent leur campement.
3. **Tailler des croupières** : mettre en fuite (familier).
4. **Pelotons** : troupes, régiments.
5. **Chaleur** : enthousiasme.
6. **Corps d'armée** : gros de la troupe.

On fait un peu de bruit.

Qui d'abord... Attendez. » Le corps d'armée a peur.
J'entends quelque bruit, ce me semble.

Molière, *Amphitryon* [1668], acte I, scène 1,
Gallimard, «Folioplus classiques», 2007.

Bernard-Marie Koltès, *Combat de nègre et de chiens*

Cette pièce écrite en 1980 par l'auteur français Bernard-Marie Koltès (1948-1989) se déroule dans un pays d'Afrique de l'ouest, sur un chantier. Un Africain, Alboury, accuse l'ingénieur Cal d'avoir assassiné son frère. Cal et le directeur du chantier décident de le tuer. Cette longue didascalie, située à la fin de la pièce, décrit la confrontation entre Cal et Alboury, sous une pluie de feux d'artifices.

DERNIÈRES VISIONS D'UN LOINTAIN ENCLOS

Une première gerbe lumineuse explose silencieusement et brièvement sur le ciel au-dessus des bougainvillées[1].

Éclat bleu d'un canon de fusil. Bruit mat d'une course, pieds nus, sur la pierre. Râle de chien. Lueurs de lampe-torche. Petit air sifflé.
5 *Bruit d'un fusil qu'on arme. Souffle frais du vent.*

L'horizon se couvre d'un immense soleil de couleurs qui retombe, avec un bruit doux, étouffé, en flammèches sur la cité.

Soudain, la voix d'Alboury: du noir jaillit un appel, guerrier et secret, qui tourne, porté par le vent, et s'élève du massif d'arbres
10 *jusqu'aux barbelés et des barbelés aux miradors[2].*

Éclairée aux lueurs intermittentes du feu d'artifice, accompagnée de détonations sourdes, l'approche de Cal vers la silhouette immobile d'Alboury.

Cal pointe son fusil haut, vers la tête; la sueur coule sur son front et
15 *sur ses joues; ses yeux sont injectés de sang.*

---

1. **Bougainvillées**: plantes à fleurs roses.
2. **Miradors**: postes de surveillance élevés.

Alors s'établit, au cœur des périodes noires entre les explosions, un dialogue inintelligible¹ entre Alboury et les hauteurs de tous côtés. Conversation tranquille, indifférente ; questions et réponses brèves ; rires ; langage indéchiffrable qui résonne et s'amplifie, tourbillonne le
20 *long des barbelés et de haut en bas, emplit l'espace tout entier, règne sur l'obscurité et résonne encore sur toute la cité pétrifiée, dans une ultime série d'étincelles et de soleils qui explosent.*

Cal est d'abord touché au bras ; il lâche son fusil. En haut d'un mirador, un garde abaisse son arme ; d'un autre côté, un autre garde lève
25 *la sienne. Cal est touché au ventre, puis à la tête ; il tombe. Alboury a disparu. Noir.*

Le jour se lève, doucement. Cris d'éperviers dans le ciel. À la surface d'égouts à ciel ouvert, des bouteilles de whisky vides se heurtent. Klaxon d'une camionnette. Les fleurs de bougainvillées balancent ;
30 *toutes reflètent l'aube.*

Bernard-Marie Koltès, *Combat de nègre et de chiens* [1980], scène XX, Éditions de minuit, 2012.
© Éditions de Minuit.

Wajdi Mouawad, *Incendies*

Dramaturge libano-canadien, Wajdi Mouawad (né en 1968) écrit dans les années 2000 une série de pièces de théâtre intitulée *Le Sang des promesses*. La deuxième pièce du cycle, *Incendies*, retrace la vie de la Libanaise Nawal. À quarante ans, Nawal retrouve son amie Sawda, traumatisée par un massacre dans un camp de réfugiés pendant la guerre du Liban.

NAWAL. – Réfléchis, Sawda ! Tu es la victime et tu vas aller tuer tous ceux qui seront sur ton chemin, alors tu seras le bourreau, puis après, à ton tour tu seras la victime ! Toi tu sais chanter, Sawda, tu sais chanter.

5 SAWDA. – Je ne peux pas ! Je ne veux pas me consoler, Nawal. Je ne veux pas que tes idées, tes images, tes paroles, tes yeux, ton amitié, toute notre vie côte à côte, je ne veux pas qu'ils me

---

1. **Inintelligible** : impossible à comprendre.

consolent de ce que j'ai vu et entendu ! Ils sont entrés dans les camps comme des fous furieux. Les premiers cris ont réveillé les
10 autres et rapidement on a entendu la fureur des miliciens[1] ! Ils ont commencé par lancer les enfants contre le mur, puis ils ont tué tous les hommes qu'ils ont pu trouver. Les garçons égorgés, les jeunes filles brûlées. Tout brûlait autour, Nawal, tout brûlait, tout cramait ! Il y avait des vagues de sang qui coulaient des ruelles.
15 Les cris montaient des gorges et s'éteignaient et c'était une vie en moins. Un milicien préparait l'exécution de trois frères. Il les a plaqués contre le mur. J'étais à leurs pieds, cachée dans le caniveau. Je voyais le tremblement de leurs jambes. Trois frères. Les miliciens ont tiré leur mère par les cheveux, l'ont plantée
20 devant ses fils et l'un d'eux lui a hurlé : « Choisis ! Choisis lequel tu veux sauver. Choisis ! Choisis ou je les tue tous ! Tous les trois ! Je compte jusqu'à trois, à trois je les tire tous les trois ! Choisis ! Choisis ! » Et elle, incapable de parole, incapable de rien, tournait la tête à droite et à gauche et regardait chacun de ses trois
25 fils ! Nawal, écoute-moi, je ne te raconte pas une histoire. Je te raconte une douleur qui est tombée à mes pieds. Je la voyais, entre le tremblement des jambes de ses fils. Avec ses seins trop lourds et son corps vieilli pour les avoir portés, ses trois fils. Et tout son corps hurlait : « Alors à quoi bon les avoir portés si c'est
30 pour les voir ensanglantés contre un mur ! » Et le milicien criait toujours : « Choisis ! Choisis ! » Alors elle l'a regardé et elle lui a dit, comme un dernier espoir : « Comment peux-tu, regarde-moi, je pourrais être ta mère ! » Alors il l'a frappée : « N'insulte pas ma mère ! Choisis » et elle a dit un nom, elle a dit « Nidal. Nidal ! » Et
35 elle est tombée et le milicien a abattu les deux plus jeunes. Il a laissé l'aîné en vie, tremblant ! Il l'a laissé et il est parti. Les deux corps sont tombés. La mère s'est relevée et au cœur de la ville qui brûlait, qui pleurait de toute sa vapeur, elle s'est mise à hurler que c'était elle qui avait tué ses fils. Avec son corps trop lourd, elle
40 disait qu'elle était l'assassin de ses enfants !

Wajdi Mouawad, *Incendies* [2003], *Le Sang des promesses*, t. II,
Actes Sud, « Babel », 2011.
© MOUAWAD Wajdi, Léméac Éditeur, Actes Sud, pour la France.

---

1. **Miliciens** : soldats de la milice, formation paramilitaire non organisée par l'État.

Raison et passions au XVIIe siècle

Georges de Scudéry, *Le Fils supposé*

Rival de Corneille, Georges de Scudéry (1601-1667) est l'auteur de romans, de poèmes épiques et de pièces de théâtre. Dans cette comédie parue en 1636, la jeune Luciane doit épouser Philante, à la demande de son père. Mais elle aime Oronte qui l'aime en retour, et lui a promis sa main. Partagée entre son amour et le respect qu'elle doit à son père, elle exprime son dilemme dans ces stances.

LUCIANE

À quelle injuste loi me trouvai-je asservie[1],
    Que tout me nuit également ?
J'ois[2] commander un père, et prier un Amant ;
De l'un je tiens l'esprit ; et de l'autre la vie.

5 J'ois parler à mon cœur, l'Amour et la Nature,
    Le devoir, et la volonté ;
Et mon malheur enfin à tel point est monté,
Qu'il faut que je me rende, ou rebelle, ou parjure[3],

Dures extrémités, qui partagent[4] mon âme !
10   Lequel dois-je désobliger[5] ?
De tous les deux côtés je trouve à m'affliger ;
De l'un je tiens le jour[6] ; et de l'autre la flamme.

---

1. **Asservie** : soumise.
2. **J'ois** : j'entends.
3. **Parjure** : traîtresse, qui ne respecte pas la foi jurée ou les lois.
4. **Partagent** : déchirent.
5. **Désobliger** : négliger
6. **Le jour** : la vie.

L'un fait agir pour lui, le respect, et la crainte;
    Et l'autre l'inclination[1];
15 J'ai de l'obéissance, et de la passion;
Craintive à la menace, et sensible à la plainte.

L'un me dit ce qu'il peut, l'autre ce qu'il désire;
    Et quand j'en fais comparaison
Dedans chaque parti[2], mon œil voit la raison;
20 Et bien qu'il n'en soit qu'une, il ne la peut élire.

Quoi, manquer de respect! quoi, manquer de promesse!
    Ha non, non, il vaut mieux mourir;
Mon Oronte l'emporte; et j'ai beau discourir,
Le nom de fille cède à celui de Maîtresse[3].

25 Arrière ce propos, dont mon âme insensée
    A pensé choquer[4] mon amour:
Avant que[5] perdre Oronte, il faut perdre le jour;
Et mourir de douleur, pour vivre en sa pensée.

Tyran de nos désirs, respect trop rigoureux,
30 Ennemi capital de l'Empire amoureux[6],
Je n'ai que trop gémi sous tes lois inhumaines;
Il est temps de borner[7] ton pouvoir, et mes peines:
Oui, bien que mon esprit en puisse être blâmé,
Témoignons en mourant que nous avons aimé:
35 Brûlant d'un feu si pur, découvrons-le sans honte;
On lira notre excuse au visage d'Oronte;
Et ses yeux tout puissants pourront même exprimer,
Que puisque je les vis, je les devais aimer.

Georges de Scudéry, *Le Fils supposé* [1636],
acte II, scène 1 (orthographe modernisée).

------

1. **Inclination**: attirance amoureuse.
2. **Dedans chaque parti**: dans chaque décision.
3. **Maîtresse**: femme aimée.
4. **Choquer**: heurter, blesser.
5. **Avant que**: plutôt que de.
6. **Empire amoureux**: pouvoir de l'amour.
7. **Borner**: limiter.

Vincent Voiture, « Sonnet d'Uranie »

Vincent Voiture (1597-1648) est un poète précieux. La préciosité, mouvement littéraire du début du XVIIe siècle, souhaite allier l'expression de sentiments délicats à un langage raffiné. Dans ce sonnet, Voiture oppose à la raison sa passion pour l'insensible Uranie.

Il faut finir mes jours en l'amour d'Uranie !
L'absence ni le temps ne m'en sauraient guérir,
Et je ne vois plus rien qui me pût secourir,
Ni qui sût rappeler[1] ma liberté bannie.

5   Dès longtemps je connais sa rigueur[2] infinie !
Mais, pensant aux beautés pour qui je dois périr,
Je bénis mon martyre et, content de mourir,
Je n'ose murmurer contre[3] sa tyrannie.

Quelquefois ma raison, par de faibles discours,
10 M'incite à la révolte et me promet secours[4].
Mais lors qu'à mon besoin[5] je me veux servir d'elle,

Après beaucoup de peine, et d'efforts impuissants,
Elle dit qu'Uranie est seule aimable et belle,
Et m'y rengage[6] plus que ne font tous mes sens.

Vincent Voiture, « Sonnet d'Uranie » [1638],
in *Les Œuvres de M. de Voiture*, 1650 (orthographe modernisée).

1. **Rappeler** : rétablir. L'amour est comparé à un esclavage dont l'amoureux ne peut se libérer qu'en oubliant la femme aimée.
2. **Rigueur** : cruauté.
3. **Murmurer contre** : me plaindre de.
4. **Me promet secours** : promet qu'elle va m'aider.
5. **À mon besoin** : quand j'en ai besoin.
6. **M'y rengage** : me pousse à nouveau à l'aimer.

François de La Rochefoucauld, *Maximes*

François de La Rochefoucauld (1613-1680) est un moraliste. Son œuvre, les *Maximes*, est un recueil de réflexions souvent désabusées sur la vie et les sentiments humains. Il critique l'emprise des passions violentes (amour, ambition, etc.) sur l'homme.

5. La durée de nos passions ne dépend pas plus de nous que la durée de notre vie.

9. Les passions ont une injustice et un propre intérêt qui fait qu'il est dangereux de les suivre, et qu'on s'en doit défier[1] lors même qu'elles paraissent les plus raisonnables.

10. Il y a dans le cœur humain une génération[2] perpétuelle de passions, en sorte que la ruine[3] de l'une est presque toujours l'établissement d'une autre.

122. Si nous résistons à nos passions, c'est plus par leur faiblesse que par notre force.

188. La santé de l'âme n'est pas plus assurée que celle du corps ; et quoique l'on paraisse éloigné des passions, on n'est pas moins en danger de s'y laisser emporter que de tomber malade quand on se porte bien.

477. La même fermeté qui sert à résister à l'amour sert aussi à le rendre violent et durable, et les personnes faibles qui sont toujours agitées des[4] passions n'en sont presque jamais véritablement remplies.

485. Ceux qui ont eu de grandes passions se trouvent toute leur vie heureux, et malheureux, d'en être guéris.

François de La Rochefoucauld, *Maximes* [1665], Gallimard, « Folio classique », 2012.

---

1. **Défier** : méfier.
2. **Génération** : création.
3. **Ruine** : destruction.
4. **Agitées des** : tourmentées par les.

Blaise Pascal, *Pensées*

Proche du jansénisme, un mouvement religieux incitant à une vie austère, le philosophe Blaise Pascal (1623-1662) entreprend de défendre
la religion chrétienne dans un essai. Mourant sans pouvoir achever son
œuvre, il laisse un ensemble de fragments, les *Pensées*, où il examine
l'âme humaine, ce qui la rapproche du divin et ce qui l'en éloigne. Il s'in-
terroge notamment sur notre rapport aux passions qui nous habitent.

389. Cette guerre intérieure de la raison contre les passions
a fait que ceux qui ont voulu avoir la paix se sont partagés en
deux sectes[1]. Les uns ont voulu renoncer aux passions et devenir
dieux, les autres ont voulu renoncer à la raison et devenir bête
5 brute[2]. Des Barreaux[3]. Mais ils ne l'ont pu ni les uns ni les autres,
et la raison demeure toujours, qui accuse la bassesse et l'injustice
des passions et qui trouble le repos de ceux qui s'y abandonnent.
Et les passions sont toujours vivantes dans ceux qui y veulent
renoncer.

10 728. Quand notre passion nous porte à faire quelque chose,
nous oublions notre devoir ; comme on aime un livre, on le lit,
lorsqu'on devrait faire autre chose. Mais pour s'en souvenir il faut
se proposer de faire quelque chose qu'on hait. Et lors on s'excuse
sur ce qu'on a autre chose à faire, et on se souvient de son devoir
15 par ce moyen.

Blaise Pascal, *Les Pensées* [1670, publication posthume], in *Œuvres complètes*,
t. II, Gallimard, « Bibliothèque de la Pléiade », 1999.

---

1. **Sectes** : écoles de pensée.
2. **Brute** : sauvage.
3. **Jacques Vallée des Barreaux** (1599-1673) : poète libertin, qui affichait son
athéisme.

Jean Racine, *Bérénice*

Également proche des jansénistes, le dramaturge Jean Racine (1639-1699) oppose l'amour à la raison d'État dans sa tragédie *Bérénice*. Le Romain Titus vient d'être nommé empereur, mais il est amoureux d'une reine étrangère, Bérénice, et les lois romaines s'opposent à leur union. Titus se sépare alors de Bérénice, malgré la passion qu'il ressent pour elle.

BÉRÉNICE

[...]
Hé bien, il est donc vrai que Titus m'abandonne ?
Il faut nous séparer ; et c'est lui qui l'ordonne.

TITUS

N'accablez point, Madame, un prince malheureux :
Il ne faut point ici nous attendrir tous deux.
5 Un trouble[1] assez cruel m'agite et me dévore,
Sans que des pleurs si chers me déchirent encore.
Rappelez bien plutôt ce cœur[2], qui tant de fois
M'a fait de mon devoir reconnaître la voix.
Il en est temps. Forcez votre amour à se taire ;
10 Et d'un œil que la gloire[3] et la raison éclaire,
Contemplez mon devoir dans toute sa rigueur[4].
Vous-même contre vous fortifiez mon cœur :
Aidez-moi, s'il se peut, à vaincre sa faiblesse,
À retenir des pleurs qui m'échappent sans cesse ;
15 Ou si nous ne pouvons commander à nos pleurs,
Que la gloire du moins soutienne nos douleurs,
Et que tout l'univers reconnaisse sans peine
Les pleurs d'un empereur, et les pleurs d'une reine.
Car enfin, ma princesse, il faut nous séparer.

---

1. **Trouble** : souffrance violente.
2. **Cœur** : courage.
3. **Gloire** : sens de l'honneur, sens du devoir à accomplir pour maintenir son rang.
4. **Rigueur** : dureté, sévérité.

20 Ah cruel! Est-il temps de me le déclarer?
Qu'avez-vous fait? Hélas! je me suis crue aimée.
Au plaisir de vous voir mon âme accoutumée
Ne vit plus que pour vous. Ignoriez-vous vos lois,
Quand je vous l'avouai pour la première fois?
25 À quel excès d'amour m'avez-vous amenée?
Que ne me disiez-vous: «Princesse infortunée[1],
Où vas-tu t'engager, et quel est ton espoir?
Ne donne point un cœur qu'on ne peut recevoir.»
Ne l'avez-vous reçu, cruel, que pour le rendre,
30 Quand de vos seules mains ce cœur voudrait dépendre?
Tout l'Empire a vingt fois conspiré contre nous.
Il était temps encor[2]: que ne me quittiez-vous?
Mille raisons alors consolaient ma misère:
Je pouvais de ma mort accuser votre père,
35 Le peuple, le sénat[3], tout l'empire romain,
Tout l'univers, plutôt qu'une si chère main.
Leur haine dès[4] longtemps contre moi déclarée,
M'avait à mon malheur dès longtemps préparée.
Je n'aurais pas, seigneur, reçu ce coup cruel
40 Dans le temps que j'espère un bonheur immortel,
Quand votre heureux amour peut tout ce qu'il désire,
Lorsque Rome se tait, quand votre père expire,
Lorsque tout l'univers fléchit à vos genoux,
Enfin quand je n'ai plus à redouter que vous.

TITUS

45 Et c'est moi seul aussi qui pouvais me détruire.
Je pouvais vivre alors, et me laisser séduire[5].
Mon cœur se gardait bien d'aller dans l'avenir
Chercher ce qui pouvait un jour nous désunir.

---

1. Infortunée: malheureuse.
2. Encor: encore (licence poétique pour conserver le nombre de syllabes de l'alexandrin).
3. Sénat: conseil de nobles et de magistrats gouvernant Rome avec l'empereur.
4. Dès: depuis.
5. Séduire: détourner du droit chemin.

Je voulais qu'à mes vœux rien ne fût invincible,
50 Je n'examinais rien, j'espérais l'impossible.
Que sais-je? j'espérais de mourir à vos yeux,
Avant que d'en venir à ces cruels adieux.
Les obstacles semblaient renouveler ma flamme.
Tout l'Empire parlait; mais la gloire, madame,
55 Ne s'était point encor fait entendre à mon cœur
Du ton dont elle parle au cœur d'un empereur.
Je sais tous les tourments où ce dessein[1] me livre;
Je sens bien que sans vous je ne saurais plus vivre,
Que mon cœur de moi-même est prêt à s'éloigner;
60 Mais il ne s'agit plus de vivre, il faut régner.

Jean Racine, *Bérénice* [1670], acte IV, scène 5, Belin-Gallimard, «Classico», 2011.

Groupements
de textes

Mme de La Fayette, *La Princesse de Clèves*

**Dans ce roman de Madame de La Fayette (1634-1693), la princesse
de Clèves, qui fréquente la cour du roi Henri II, ressent un amour
réciproque pour le duc de Nemours. Mais elle est mariée au prince
de Clèves. Leur amour reste donc platonique. Mme de Clèves avoue un
jour sa passion interdite à son mari, qui en meurt de jalousie et de chagrin. En deuil, elle quitte la cour; elle aperçoit un jour M. de Nemours,
qui l'a suivie et cherche à la voir.**

Quel effet produisit cette vue d'un moment[2] dans le cœur de
Mme de Clèves! Quelle passion endormie se ralluma dans son
cœur, et avec quelle violence! Elle s'alla asseoir dans le même
endroit d'où venait de sortir M. de Nemours; elle y demeura
5 comme accablée. Ce prince se présenta à son esprit, aimable au-
dessus de tout ce qui était au monde, l'aimant depuis longtemps
avec une passion pleine de respect et de fidélité, méprisant tout
pour elle, respectant jusqu'à sa douleur, songeant à la voir sans
songer à en être vu, quittant la cour, dont il faisait les délices[3],

1. **Où ce dessein**: auxquels ce projet.
2. **D'un moment**: qui n'avait duré qu'un instant.
3. **Dont il faisait les délices**: où il était particulièrement apprécié.

pour aller regarder les murailles qui la renfermaient, pour venir
rêver dans des lieux où il ne pouvait prétendre de[1] la rencontrer ;
enfin un homme digne d'être aimé par son seul attachement,
et pour qui elle avait une inclination[2] si violente qu'elle l'aurait
aimé quand il ne l'aurait[3] pas aimée ; mais, de plus, un homme
d'une qualité[4] élevée et convenable à la sienne. Plus de devoir,
plus de vertu qui s'opposassent à ses sentiments ; tous les obstacles
étaient levés, et il ne restait de leur état passé que la passion de
M. de Nemours pour elle et que celle qu'elle avait pour lui. Toutes
ces idées furent nouvelles à cette princesse.

L'affliction de la mort de M. de Clèves l'avait assez occupée
pour avoir empêché qu'elle n'y eut jeté les yeux. La présence de
M. de Nemours les amena en foule dans son esprit ; mais, quand
il en eut été pleinement rempli et qu'elle se souvint aussi que ce
même homme, qu'elle regardait comme pouvant l'épouser, était
celui qu'elle avait aimé du vivant de son mari et qui était la cause
de sa mort ; que même, en mourant, il lui avait témoigné de la
crainte qu'elle ne l'épousât, son austère[5] vertu était si blessée de
cette imagination[6] qu'elle ne trouvait guère moins de crime à
épouser M. de Nemours qu'elle en avait trouvé à l'aimer pendant
la vie de son mari. Elle s'abandonna à ces réflexions si contraires
à son bonheur ; elle les fortifia encore de plusieurs raisons qui
regardaient son repos[7] et les maux qu'elle prévoyait en épousant
ce prince. Enfin, après avoir demeuré deux heures dans le lieu où
elle était, elle s'en revint chez elle, persuadée qu'elle devait fuir sa
vue comme une chose entièrement opposée à son devoir.

Mme de La Fayette, *La Princesse de Clèves* [1678],
Belin-Gallimard, « Classico », 2011.

1. **Prétendre de** : imaginer qu'il puisse.
2. **Inclination** : attirance amoureuse.
3. **Quand il ne l'aurait** : même s'il ne l'avait.
4. **Qualité** : rang social.
5. **Austère** : rigoureuse, inflexible.
6. **De cette imagination** : par cette idée.
7. **Repos** : tranquillité de l'âme.

Questions sur les groupements de textes

■ Récits de bataille au théâtre

a. Analysez les registres utilisés par ces différents textes (épique, lyrique, comique, etc.) et précisez quelles émotions chacune de ces scènes de bataille vise à transmettre au spectateur.

TICE **b.** Regardez des extraits de la mise en scène d'*Incendies* de Wajdi Mouawad : **http://www.theatre-video.net/video/Incendies-extrait-video**. Comparez-les à la bande-annonce de son adaptation au cinéma : **http://www.youtube.com/watch?v=YStpiwG3CiE**. À partir de cette comparaison, expliquez quel art, selon vous, est le plus à même d'évoquer la guerre : le théâtre ou le cinéma.

■ Raison et passions au XVIIᵉ siècle

TICE **a.** À l'aide d'encyclopédies en ligne comme **www.larousse.fr**, cherchez qui sont les moralistes du XVIIᵉ siècle et en quoi le conflit entre raison et passions est au cœur de leur pensée.

b. Expliquez comment ce conflit est illustré par chacun des textes du groupement.

TICE **c.** Visionnez sur Internet la bande-annonce du film *La Belle Personne* de Christophe Honoré, inspiré de *La Princesse de Clèves*. Comment le réalisateur adapte-t-il le roman de Madame de La Fayette ?

Vers l'écrit du Bac

L'épreuve écrite du Bac de français s'appuie sur un corpus (ensemble de textes et de documents iconographiques). Le sujet se compose de deux parties : une ou deux questions portant sur le corpus puis trois travaux d'écriture au choix (commentaire, dissertation, écriture d'invention).

Sujet **Duels verbaux au théâtre**

Objet d'étude *Le texte théâtral et sa représentation, du XVIIᵉ siècle à nos jours*

Corpus

Texte A   Pierre Corneille, *Le Cid*

Texte B   Edmond Rostand, *Cyrano de Bergerac*

Texte C   Bernard-Marie Koltès, *Le Retour au désert*

Scène 2
LE COMTE, DON RODRIGUE

DON RODRIGUE
À moi, Comte, deux mots.

LE COMTE
Parle.

DON RODRIGUE
Ôte-moi d'un doute.
Connais-tu bien Don Diègue ?

LE COMTE
Oui.

DON RODRIGUE
Parlons bas, écoute.
Sais-tu que ce vieillard fut la même vertu[1],
La vaillance, et l'honneur de son temps ? le sais-tu ?

LE COMTE
5 Peut-être.

DON RODRIGUE
Cette ardeur que dans les yeux je porte,
Sais-tu que c'est son sang ? le sais-tu ?

LE COMTE
Que m'importe ?

---

1. **La même vertu** : la vertu même.

DON RODRIGUE

À quatre pas d'ici je te le fais savoir[1].

LE COMTE

Jeune présomptueux.

DON RODRIGUE

Parle sans t'émouvoir[2].

Je suis jeune, il est vrai, mais aux âmes bien nées[3]
10   La valeur n'attend pas le nombre des années.

LE COMTE

Mais t'attaquer à moi ! qui t'a rendu si vain,
Toi qu'on n'a jamais vu les armes à la main ?

DON RODRIGUE

Mes pareils à deux fois ne se font point connaître[4],
Et pour leurs coups d'essai veulent des coups de maître.

LE COMTE

15   Sais-tu bien qui je suis ?

DON RODRIGUE

Oui, tout autre que moi
Au seul bruit de ton nom pourrait trembler d'effroi,
Mille et mille lauriers dont ta tête est couverte
Semblent porter écrit le destin de ma perte,
J'attaque en téméraire un bras toujours vainqueur,
20   Mais j'aurai trop de force ayant assez de cœur,
À qui venge son père il n'est rien impossible,
Ton bras est invaincu, mais non pas invincible.

---

1. Ici, Rodrigue provoque ouvertement le Comte en duel.
2. Sans t'émouvoir: sans te laisser gagner par l'émotion, sans colère.
3. Bien nées: de famille noble.
4. Mes pareils à deux fois ne se font point connaître: les personnes aussi
vaillantes que moi n'ont pas besoin de deux occasions pour révéler leur courage.

LE COMTE

Ce grand cœur qui paraît aux discours que tu tiens
Par tes yeux chaque jour se découvrait aux miens,
25 Et croyant voir en toi l'honneur de la Castille,
Mon âme avec plaisir te destinait ma fille.
Je sais ta passion, et suis ravi de voir
Que tous ses mouvements[1] cèdent à ton devoir,
Qu'ils n'ont point affaibli cette ardeur magnanime[2],
30 Que ta haute vertu répond à mon estime,
Et que voulant pour gendre un Chevalier parfait
Je ne me trompais point au choix que j'avais fait.
Mais je sens que pour toi ma pitié s'intéresse[3],
J'admire ton courage, et je plains ta jeunesse.
35 Ne cherche point à faire un coup d'essai fatal,
Dispense ma valeur d'un combat inégal,
Trop peu d'honneur pour moi suivrait cette victoire,
À vaincre sans péril on triomphe sans gloire,
On te croirait toujours abattu sans effort,
40 Et j'aurais seulement le regret de ta mort.

DON RODRIGUE

D'une indigne pitié ton audace est suivie.
Qui m'ose ôter l'honneur craint de m'ôter la vie.

LE COMTE

Retire-toi d'ici.

DON RODRIGUE

Marchons sans discourir.

LE COMTE

Es-tu si las de vivre?

DON RODRIGUE

As-tu peur de mourir?

---

1. **Mouvements**: élans du cœur.
2. **Magnanime**: qui est le signe d'une grande âme.
3. **S'intéresse**: prend parti.

LE COMTE

45 Viens, tu fais ton devoir, et le fils dégénère[1]
Qui survit[2] un moment à l'honneur de son père.

Pierre Corneille, Le Cid, acte II, scène 2.

▶ Texte B
Edmond Rostand, *Cyrano de Bergerac* (1897)

Cyrano de Bergerac d'Edmond Rostand (1868-1918) est une pièce au croisement de nombreuses influences et de nombreux genres. Son héros éponyme est un homme d'armes et un poète exceptionnel. Dans l'acte I, il apparaît soudain dans une salle de théâtre, chasse l'acteur principal de la pièce et défie en duel un vicomte arrogant. Il annonce qu'il va le combattre tout en composant un poème, plus précisément une ballade.

CYRANO, *récitant comme une leçon.*
La ballade, donc, se compose de trois
Couplets de huit vers…

LE VICOMTE, *piétinant.*
Oh !

CYRANO, *continuant.*
Et d'un envoi de quatre…

LE VICOMTE

Vous…

CYRANO

Je vais tout ensemble en faire une et me battre,
Et vous toucher[3], monsieur, au dernier vers.

---

1. **Dégénère** : n'est pas à la hauteur de ses ancêtres.
2. **Qui survit** : s'il survit.
3. **Toucher** : atteindre avec mon épée.

LE VICOMTE

Non !

CYRANO

Non ?

Déclamant.

5 « *Ballade du duel qu'en l'hôtel bourguignon*[1]
Monsieur de Bergerac eut avec un bélître[2] *!* »

LE VICOMTE

Qu'est-ce que c'est que ça, s'il vous plaît ?

CYRANO

C'est le titre.

LA SALLE, *surexcitée au plus haut point.*

Place ! – Très amusant ! – Rangez-vous ! – Pas de bruits !

Tableau. Cercle de curieux au parterre, les marquis et les officiers mêlés aux bourgeois et aux gens du peuple ; les pages[3] *grimpés sur des épaules pour mieux voir. Toutes les femmes debout dans les loges. À droite, De Guiche et ses gentilshommes. À gauche, Le Bret, Ragueneau, Cuigy*[4]*, etc.*

CYRANO, *fermant une seconde les yeux.*

Attendez !… je choisis mes rimes… Là, j'y suis.

Il fait ce qu'il dit, à mesure.

10 *Je jette avec grâce mon feutre*[5]*,*
Je fais lentement l'abandon
Du grand manteau qui me calfeutre[6]*,*

---

1. Hôtel bourguignon : hôtel de Bourgogne, salle de théâtre parisienne du début du XVIIe siècle.
2. Bélître : homme sans valeur.
3. Pages : jeunes hommes nobles servant d'escorte aux seigneurs.
4. De Guiche, Le Bret, Ragueneau et Cuigy sont des personnages de la pièce de Rostand, inspirés de figures historiques du XVIIe siècle.
5. Feutre : chapeau.
6. Me calfeutre : m'enveloppe.

Et je tire mon espadon[1],
Élégant comme Céladon[2],
15 Agile comme Scaramouche[3],
Je vous préviens, cher Myrmidon[4],
Qu'à la fin de l'envoi, je touche !

Premiers engagements de fer.

Vous auriez bien dû rester neutre ;
Où vais-je vous larder, dindon ?...
20 Dans le flanc, sous votre maheutre[5] ?...
Au cœur, sous votre bleu cordon ?...
– Les coquilles tintent, ding-don !
Ma pointe voltige : une mouche !
Décidément... c'est au bedon,
25 Qu'à la fin de l'envoi, je touche.

Il me manque une rime en -eutre...
Vous rompez, plus blanc qu'amidon ?
C'est pour me fournir le mot pleutre[6] !
– Tac ! je pare la pointe dont
30 Vous espériez me faire don : –
J'ouvre la ligne, – je la bouche...
Tiens bien ta broche, Laridon[7] !
À la fin de l'envoi, je touche.

Il annonce solennellement :

ENVOI

Prince, demande à Dieu pardon !
35 Je quarte du pied, j'escarmouche,
Je coupe, je feinte...

---

1. **Espadon** : épée.
2. **Céladon** : jeune berger amoureux et tendre, héros du roman pastoral *L'Astrée* d'Honoré d'Urfé (1567-1625).
3. **Scaramouche** : personnage de valet adroit et rusé dans la *commedia dell'arte*.
4. **Myrmidon** : ici, personnage insignifiant (ce mot vient du grec *murmex*, signifiant « fourmi »).
5. **Maheutre** : étoffe qui renforce le costume.
6. **Pleutre** : lâche.
7. **Laridon** : chien qui ne quitte pas la cuisine, dans une fable de Jean de La Fontaine.

Se fendant.

Hé! là donc,

Le vicomte chancelle; Cyrano salue.

À la fin de l'envoi, je touche.

Acclamations. Applaudissements dans les loges. Des fleurs et des mouchoirs tombent. Les officiers entourent et félicitent Cyrano. Ragueneau danse d'enthousiasme. Le Bret est heureux et navré. Les amis du vicomte le soutiennent et l'emmènent.

Edmond Rostand, Cyrano de Bergerac, acte I, scène 4.

▶ Texte C
Bernard-Marie Koltès, *Le Retour au désert* (1988)

Cette pièce se déroule en France dans les années 1960. Humiliée et tondue à la Libération par l'entourage de son frère Adrien, Mathilde a quitté la province française pour l'Algérie. Lorsqu'éclate la guerre d'Algérie, la Française et ses deux enfants, nés hors mariage, reviennent vivre auprès d'Adrien. Mathilde entreprend alors de régler ses comptes avec son frère et ses amis. Dans cette scène, le frère et la sœur se disputent devant Marthe, la femme d'Adrien, au grand dam de la domestique, surnommée «Maame Queuleu».

MAAME QUEULEU. – Allons, Mathilde, allons. Réconciliez-vous avec votre frère, car cette maison devient un enfer à cause de vos disputes. […] Êtes-vous encore des enfants? Ne pouvez-vous trouver un moyen terme[1] à toute chose? Ne savez-vous donc pas
5 que grandir, c'est trouver un moyen terme à toute chose, abandonner son entêtement, et se réjouir de ce que l'on peut obtenir? Grandissez, Mathilde, grandissez, il est temps. Les chamailleries donnent des rides, de très vilaines rides; voulez-vous être couverte de vilaines rides à cause d'histoires dont vous ne vous souvenez même plus quelques minutes après? […]

Entre Adrien.

---

1. **Moyen terme**: juste milieu, compromis.

Maame Queuleu. – Adrien, votre sœur est prête à vous embrasser.

Adrien. – Je l'embrasserai plus tard.

Maame Queuleu. – Pourquoi pas tout de suite ?

Adrien. – J'ai deux mots à dire, d'abord. Elle me fâche avec mes
15 amis, elle les insulte, elle les brutalise, et eux n'osent plus venir
ici et me font, quand je les croise, une tête pleine de reproches.
Pourquoi me reprocher à moi les folies de cette femme ? Je ne
veux plus payer pour elle.

Mathilde. – Tout m'agace, chez eux, Maame Queuleu, je n'y
20 peux rien. D'ailleurs, tout m'agace chez Adrien. Le bruit de ses
pas dans le couloir, sa manière de tousser, le ton avec lequel il
dit : mon fils ; leurs petites réunions secrètes où les femmes ne
sont pas admises. On me ferme la porte d'une pièce pendant des
heures dans ma propre maison ? On complote à côté de moi ?
25 Je ferai ôter toutes les portes de cette maison, je veux tout voir,
quand je le veux ; je veux pouvoir entrer partout à l'heure que je
veux.

Maame Queuleu. – Mathilde, vous avez promis.

Mathilde. – Tout à l'heure, Maame Queuleu.

30 **Adrien.** – On raconte en ville qu'elle se promène nue sur le
balcon.

Maame Queuleu. – Allons, allons, Mathilde, nue sur le balcon !

Adrien. – On le raconte.

Maame Queuleu. – On raconte n'importe quoi.

35 **Adrien.** – Si on raconte qu'elle se promène nue sur le balcon, c'est
comme si je l'avais vue. On ne raconte pas cela de moi, ni de vous,
Maame Queuleu. Toute jeune déjà, cette fille a fauté, c'est l'appel
de la nature ; elle ne va pas par miracle devenir une dame sur le
tard.

40 **Marthe.** – Un miracle est toujours possible, il faut y croire.

MATHILDE. – Fauté, Maame Queuleu? Et son fils à lui? N'est-ce pas une énorme, une gigantesque faute? Qu'avait-il besoin de faire cela? De quel droit encombre-t-il ma maison de sa progéniture inutile, paresseuse, qui se prélasse tout le jour dans le
45 jardin ou le salon? Il y avait assez de lui pour nous encombrer, je n'avais pas besoin d'un double contre qui je me heurte dans les couloirs, un second Adrien, une caricature du premier. Pourquoi, demandez-lui pourquoi il avait besoin de se marier, Maame Queuleu, et pourquoi il a fait un enfant.

50 **ADRIEN.** – Demandez-lui, Maame Queuleu, pourquoi elle en a fait deux.

MATHILDE. – Dites-lui bien que moi, je ne les ai pas faits, on me les a faits.

[...]

MAAME QUEULEU. – Allez-vous arrêter? Mathilde, vous êtes l'aînée.
55 Embrassez votre frère; faites cela pour moi.

MATHILDE. – Je l'embrasse tout de suite, Maame Queuleu. Mais savez-vous qu'il m'a frappée? Pas plus tard que ce matin, pendant que je buvais mon thé, il m'a frappée, et la théière a volé en éclats. Doit-on tolérer cela?

60 **MARTHE.** – C'était quand le diable l'habitait.

MAAME QUEULEU, *à Adrien.* – Est-il vrai que vous l'avez frappée? Pourquoi avez-vous fait cela?

ADRIEN. – Je ne le sais plus, mais, si je l'ai fait, c'est que j'avais une raison, et sérieuse. Je ne frappe pas à tort et à travers.

65 **MAAME QUEULEU.** – Est-ce tout? Alors, réconciliez-vous. Adrien, vous me l'avez promis.

ADRIEN. – Tout de suite, bientôt, à l'instant. Mais encore une chose : savez-vous, Maame Queuleu, que hier, elle a frappé ma femme? Ma pauvre Marthe, elle l'a frappée.

70 **MARTHE.** – Non, non, elle ne m'a pas frappée.

ADRIEN. – Je l'ai vue, j'ai entendu le coup, elle en a porté la marque pendant plusieurs heures.

MARTHE. – Elle ne m'a pas frappée, elle m'a châtiée parce que je suis méchante. C'était pour mon bien et j'en suis heureuse.

75 **MATHILDE.** – L'idiote.

ADRIEN, *à Mathilde.* – Qu'est-ce que tu as dit ?

> *Il s'approche de Mathilde.*

MAAME QUEULEU. – Eh bien, oui, frappez-vous, défigurez-vous, crevez-vous les yeux, qu'on en finisse. Je vais aller vous chercher un couteau, pour aller plus vite. Aziz, apporte-moi le grand cou-
80 teau de la cuisine, et prends-en deux pour faire bonne mesure ; je les ai aiguisés ce matin, cela ira plus vite. Écorchez-vous, griffez-vous, tuez-vous une bonne fois, mais taisez-vous, sinon je vous couperai moi-même la langue en la prenant à la racine au fond de vos gorges pour ne plus entendre vos voix. Et vous
85 vous battrez en silence, du moins, personne n'en saura rien, et on pourra continuer à vivre. Car vous ne vous battez que par des mots, des mots, des mots inutiles qui font du mal à tout le monde, sauf à vous. Ah, si je pouvais devenir sourde, tout cela ne me dérangerait pas. […] Vivement le soir, quand vous boudez ; au
90 moins, on peut travailler. Faites que le soleil se couche de plus en plus tôt, et qu'ils se détestent dans le silence. Moi, j'abandonne.

Bernard-Marie Koltès, *Le Retour au désert*, acte II, scène 6.
© Éditions de Minuit, 1988.

Vers l'écrit du Bac

185

■ *Questions sur le corpus*

(4 points pour les séries générales ou 6 points pour les séries technologiques)

Dans les scènes du corpus, comment le thème de la violence est-il traité ?

■ *Travaux d'écriture*

(16 points pour les séries générales ou 14 points pour les séries technologiques)

Commentaire (séries générales)

Vous ferez le commentaire de l'extrait de la scène 6 de l'acte II du *Retour au désert* de Bernard-Marie Koltès (texte C).

Commentaire (séries technologiques)

Vous ferez le commentaire de la scène 2 de l'acte II du *Cid* de Pierre Corneille (texte A) en suivant le parcours de lecture suivant :

– vous montrerez d'abord comment cette scène met en mots le duel, qui n'est pas représenté sur scène ;

– vous analyserez ensuite la manière dont l'auteur place au centre du texte l'honneur, valeur commune aux deux hommes.

Dissertation

Peut-on considérer que le conflit est l'essence du théâtre ?

Vous répondrez à cette question en vous appuyant sur les documents du corpus ainsi que sur les œuvres que vous avez lues, étudiées en classe ou vues au théâtre.

Écriture d'invention

Vous réécrirez l'extrait de la pièce de Corneille sans respecter la règle de bienséance, qui le pousse à mettre en mots le duel entre Rodrigue et le Comte plutôt que de le montrer.

Fenêtres sur...

📖 *Des ouvrages à lire*

D'autres pièces de Pierre Corneille

- *Médée* [1635], Belin-Gallimard, «Classico», 2012.
- *L'Illusion comique* [1636], Gallimard, «Folio classique», 2000.
- *Horace* [1640], Gallimard, «Folio théâtre», 1994.
- *Suréna* [1674], Gallimard, «Folio théâtre», 1999.

Une biographie de Pierre Corneille

- Christian Biet, *Moi, Pierre Corneille*, Gallimard, «Découvertes», 2006.

Un ouvrage sur le théâtre

- André Degaine, *Histoire du théâtre dessinée*, Nizet, 1992.

Des œuvres littéraires se déroulant au temps de Corneille

- Alexandre Dumas, *Les Trois Mousquetaires* [1844], GF-Flammarion, 2013.
- Edmond Rostand, *Cyrano de Bergerac* [1897], Belin-Gallimard, «Classico», 2011.

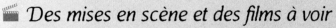
Des mises en scène et des films à voir

(Toutes les œuvres citées ci-dessous sont disponibles en DVD.)

Des mises en scène de la pièce

• *Le Cid*, mise en scène de Thomas Le Douarec au théâtre de la Madeleine, 1999.
• Extraits de la mise en scène de Declan Donnellan en 1998:
  http://www.ina.fr/video/CAB98029051

Une adaptation cinématographique

• *Le Cid*, film d'Anthony Mann avec Charlton Heston et Sophia Loren, 1961.

Une œuvre d'art à découvrir

(L'œuvre ci-dessous peut être vue sur Internet.)

Juan Cristobal, *Le Cid campeador*, statue équestre, place Mio Cid, Burgos, Espagne.

@ Des sites Internet à consulter

• Extraits de textes publiés en 1637, lors de la «querelle du *Cid*»:
  http://www.romanistik.uni-freiburg.de/reiser/psf_querelle_cid.pdf
• Des informations sur d'autres fameuses querelles littéraires
  du XVIIᵉ et du XVIIIᵉ siècles:
  http://base-agon.paris-sorbonne.fr/liste-integrale-des-querelles
• Pour en savoir plus sur la notion de héros et son évolution à travers
  les âges:
  http://classes.bnf.fr/heros/
• Une synthèse sur le classicisme:
  http://www.weblettres.net/ar/articles/14_136_365_108214_
  nrp27_14_22.pdf

- Extraits de l'opéra *Le Cid* de Jules Massenet, adapté de Corneille, interprétés par Roberto Alagna :
  http://www.youtube.com/watch?v=nmslKnKsTGo
  et http://www.youtube.com/watch?v=tg46Z4Q4XjI
- Un reportage sur la *Mise en pièces du Cid* par Roger Planchon, de 1969 :
  http://www.ina.fr/video/CAF86015433

Fenêtres sur...

Glossaire

Alexandrin : vers de douze syllabes, utilisé dans les comédies et tragédies classiques, généralement séparé par une pause (la césure) en deux groupes de six syllabes (les hémistiches).

Baroque : mouvement littéraire et artistique du début du XVIIe siècle, qui privilégie les thèmes de l'illusion et de l'inconstance. L'esthétique baroque se manifeste par son goût de la démesure, des contrastes et de la virtuosité.

Bienséance : règle du théâtre classique qui vise à bannir de la scène tout ce qui pourrait choquer le spectateur ou qui ne pourrait pas convenir au rang des personnages : mort, sexualité, sommeil, nourriture, etc.

Catharsis : mot grec signifiant « purification », utilisé par le philosophe grec Aristote dans son analyse de la tragédie. Pour la produire, les personnages tragiques doivent susciter terreur et pitié, de telle sorte que le spectateur, en éprouvant leurs passions, soit libéré de ses pulsions les plus sombres.

Chiasme : figure de style qui consiste à faire s'entrecroiser deux couples de termes reliés soit par leur sens, soit par leur nature (deux noms, deux adverbes, etc.). Par exemple : « En cet affront **mon père** est *l'offensé*/ Et *l'offenseur* **le père de Chimène** ».

Classicisme : mouvement littéraire et artistique européen de la deuxième moitié du XVIIe siècle. Il se caractérise par une recherche de l'équilibre et de la clarté, grâce au respect de règles strictes, et par le perfectionnement moral du public, auquel on souhaite faire préférer la raison aux passions.

Comédie : genre théâtral de forme variée (prose ou vers ; en un, trois ou cinq actes), qui vise à divertir et à instruire en représentant les défauts des hommes. Elle met en scène des personnages de l'époque de la création, de condition moyenne ou modeste, et son dénouement est traditionnellement un mariage.

Confident : personnage secondaire, typique de la tragédie, qui reçoit les confidences d'un des personnages principaux.

Délibératif : qui pèse le pour et le contre afin d'aboutir à une décision. Le « genre délibératif » est l'un des trois types de discours que distingue la rhétorique antique.

Dénouement : fin d'une pièce de théâtre, moment où les conflits sont résolus et où le sort des personnages est fixé. Dans une comédie classique, le dénouement est un mariage, dans la tragédie, c'est un événement douloureux (mort, séparation), dans la tragi-comédie, c'est une situation heureuse.

Didascalie : indication de mise en scène notée par l'auteur, qui n'est pas prononcée par les comédiens.

Dilemme : situation d'un personnage forcé à choisir entre deux sacrifices.

Double énonciation : situation d'énonciation propre au théâtre, par laquelle les paroles d'un personnage ne s'adressent pas seulement aux autres personnages, mais aussi au public. Le spectateur peut ainsi posséder plus d'informations que certains personnages.

Exposition : première(s) scène(s) d'une pièce de théâtre, ayant pour fonction de donner aux spectateurs les informations nécessaires à la compréhension de l'intrigue, d'éveiller leur intérêt et de donner le ton de la pièce.

Monologue : tirade d'un personnage seul en scène.

Oxymore : figure de style où sont placés côte à côte deux termes contradictoires. Par exemple : « cette obscure clarté ».

Pathétique : registre qui suscite la pitié du spectateur face à la représentation d'une souffrance physique ou morale.

Péripétie : événement qui fait évoluer l'action.

Glossaire

Quiproquo : situation où un personnage commet une erreur et prend une personne ou une chose pour une autre. La comédie l'utilise de manière récurrente.

Règle des trois unités : règle du théâtre classique selon laquelle une pièce de théâtre ne doit montrer qu'un seul lieu (unité de lieu), ne contenir qu'une intrigue, sans actions secondaires superflues (unité d'action), et se dérouler en une seule journée (unité de temps)

Réplique : dans un dialogue, prise de parole d'un personnage.

Stances : monologue d'un personnage, pathétique ou lyrique, exprimé dans plusieurs strophes où alternent différents types de vers et de rimes selon une structure récurrente.

Stichomythie : échange de répliques très brèves, qui donne un rythme vif au passage.

Tension dramatique : effet de suspens ou d'attente ménagé par le dramaturge.

Tirade : longue réplique ininterrompue que prononce un personnage face à d'autres personnages.

Tragédie : genre littéraire né dans l'Antiquité, considéré au XVIIe siècle comme le genre noble par excellence. En cinq actes et en vers, elle met en scène des personnages nobles exprimant des passions extrêmes et accablés par la fatalité, dans le but de susciter terreur et pitié.

Tragi-comédie : genre littéraire né au XVIe siècle et à son apogée dans les années 1630. Comportant des situations typiques des romans de l'époque, elle présente les amours contrariées de personnages nobles, qui, après de nombreux rebondissements spectaculaires, connaissent une fin heureuse.

Cet ouvrage a été composé par Palimpseste à Paris. Iconographie : Any-Claude Médioni.
Imprimé en Espagne par Novoprint (Barcelone)
Dépôt légal : août 2016 – N° d'édition : 70119672-02/fév2017